美国洪泛区管理

赵坤云　沈华中　编译

黄 河 水 利 出 版 社

内容提要

本书综述了美国洪泛区管理发展经历和现状及存在的问题，阐述了解决当前困境的途径；叙述了洪水的成因、特性及其对生态系统的影响，洪泛区固有的生态效益与经济效益之间的冲突；阐述了公共利益、政府的作用、洪泛区管理的不利影响、洪泛区管理原理、洪泛区管理现状、密西西比河洪泛区管理与亚美利加河洪水风险管理、远景规划等。本书可供我国从事洪泛区管理的专业人员及防洪政策的制定者参考。

图书在版编目(CIP)数据

美国洪泛区管理/赵坤云，沈华中编译．—郑州：黄河水利出版社，2002.12

ISBN 7-80621-621-9

Ⅰ．美…　Ⅱ．①赵…　②沈…　Ⅲ．洪水-灾害-防治-研究-美国　Ⅳ．P426.616

中国版本图书馆CIP数据核字(2002)第085975号

出 版 社：黄河水利出版社

地址：河南省郑州市金水路11号　　邮政编码：450003

发行单位：黄河水利出版社

发行部电话及传真：0371-6022620

E-mail：yrcp@public2.zz.ha.cn

承印单位：黄河水利委员会印刷厂

开本：850mm×1 168mm　1/32

印张：4

字数：111千字　　印数：1—1 500

版次：2002年12月第1版　　印次：2002年12月第1次印刷

书号：ISBN 7-80621-621-9/P·26　　定价：8.00元

前　言

1998年我国长江、松花江、嫩江发生特大洪水，百万军民奋力抢险，战胜了洪水。但是，这次洪水暴露出我国防洪体系建设与管理方面的许多不足。因此，我们应从不同的学科、不同的视角评估我国的防洪方针、防洪措施，以及法规建设等，同时借鉴外国的成功经验和沉痛教训，在此基础上，制定我国的防洪减灾战略，完善防洪体系建设。

数十年来，美国在防洪工程建设方面取得了令人瞩目的成就，大大提高了河流防御洪水的能力。然而，洪涝灾害的损失非但没有减少，政府用于救灾援助的资金反而逐年增加，这种现象引起了许多专家、学者的关注，尤其在1993年美国中西部密西西比河上游发生历史罕见的特大洪水后，许多专家和有关研究机构对美国的防洪减灾政策进行了反思，相继出版了《美国21世纪洪泛区管理》、《密西西比河及其支流的洪泛区管理评价》、《洪泛区管理》等书，认为在提高防洪能力的同时，更应该重视非工程措施的研究和实践。面对我国防洪减灾工作的艰巨任务，我们编译了《美国洪泛区管理》一书，期望能对完善我国的防洪减灾政策和措施(如蓄滞洪区建设和管理等)有所裨益，妥善处理人与水之间的关系。

由于我们水平有限，错误之处在所难免，敬请读者批评指正。

编译者

2002年10月于武汉

目　　录

第1章　洪泛区管理的问题

在20世纪后期的美国，环境利益和经济利益之间的冲突日益引人注目，在洪泛区的管理上尤为明显。

洪泛区管理过去既不被视为公共利益，也不被视为政府对洪灾造成损失承担责任的正当职能。只是在发生一系列造成生命财产损失的洪水之后，美国政府制定并通过了《1936年防洪法》，为政府在洪泛区管理方面的所有未来利益提供了一个框架。直到20世纪70年代通过了一些主要环境法规，生态利益才成为制定公共政策、政府计划和资金分配的重要对象。人们也才开始认识到防洪工程已经破坏了主要河道沿河数千万平方米的湿地，而且还可能破坏更多的湿地。

洪水在自然循环过程中，形成了洪泛区的经济价值：洪积物形成的肥沃土壤、可供利用的河道运输，以及水的各种娱乐效益等，所有这些使得洪泛区成为开发和从事农业的好地方。洪泛区还具有很大的生态价值：为珍奇的野生动物（鱼类、鸟类、两栖动物和哺乳动物）提供了觅食和繁殖的场地，净化了流过洪泛区的水流，减少了下游的受淹面积。如果为了保护经济发展，使洪水不流入洪泛区，这一切就都将丧失。

洪泛区管理过去所做的是兴建一些用来控制洪水的建筑物，如蓄洪水库，汛期拦蓄洪水；沿河筑堤，挡住洪水，防止洪水损害堤后的庄稼和开发区。后来人们开始认识到，还需要采取非工程管理措施，包括限制在堤后兴建建筑物、鼓励自然地与生态地利用洪泛区的各种计划，以及《国家水灾保险计划》（NFIP）等。

美国全国环境政策法（NEPA）颁布以后，要求就环境费用和损失对每一个公共工程进行环境评估。但是，工程的环境费用计算远比经济效益计算困难得多,因为即使知道生态系统会怎样受影响且损失是什么,但不知道如何确定它的货币值。在最近 25 年颁布的洪泛区管理文件中,有许多文件强调生态的保护和恢复的重要性。但在发生洪水的地方,生态保护和恢复的工作做得很少。

加强防洪意味着堤后开发的增加,每次发生洪水(为洪水淹没)都转化为损失的增加。政府和公众认为,用公款补偿洪灾的受害者是一项公共义务。用政府资金帮助那些惨遭自然灾害的人们,是政府的传统职责。在 1993 年洪水之后,救灾费用稳定增加,直至接近 80 亿美元。在我们所处金钱意识的时代,减少救灾费用,即使不是一个迫切的公共利益,但已变成一个重要的公共利益。

国家水灾保险计划正如预测的那样,没有减少洪灾损失,洪泛区管理措施也没有取得效果。保险计划、受灾援助和防护工程都使得利用洪泛区发展经济更具有吸引力。对此,保险部门谓为"道德危险"。这是政府计划相当普遍的后果。这样将会促使人们有意去寻找那些不幸,以便获得援助。农场主一旦知道在洪泛区发展有利可图时,就会毫不犹豫地去冒险。他可能盼望洪水,因为政府的救济费可能超过他的作物市场值。相同的促动因素可能驱使私房业主在洪泛区修建房屋,因为他知道洪水退后,修复房屋政府会进行补助。

只有当人们吸取了过去的经验教训之后,才会放弃把钱用在那些使定居在河边的人们感到更加安全的计划上,因为其最终结果只会造成更大的经济损失。取而代之的是让洪泛区恢复到有利的自然生态上,因为这样具有重大的经济意义。

本书试图提供洪泛区管理领域的概况,以及开始作为纯粹经济利益的洪泛区管理是怎样转变为把生态目标包括在内的。第 2 章主要介绍一种认识,即认为洪水是温和而正常的、不是我们要设法避免的,包括这一认识的起源(这一认识导致关于洪泛区定义和描述洪泛区与洪水防御工程措施和管理方法的持续讨论)。第 3 章主要介绍研究管理洪泛区的理由:保护和保存洪泛区的生态价值,减少和消除经济损失。第 4 章主要回顾洪泛区管理和管理如何分工的历史。第 5 章介绍在联邦、州和地方三级政府对现有洪泛区管理计划的说明中关于洪泛区管理的分工情况。第 6 章主要介绍在解决防洪工程本身所造成的洪灾损失时所发现的一些问题。第 7 章论述政府公告中阐述的洪泛区管理政策。第 8 章介绍在实际管理中试图贯彻这些政策时所碰到的许多问题。第 9 章介绍 1995 年公布的两个很有趣的文件，一个包括的范围较窄，另一个较广。范围较窄者是一些问题的回顾，这些问题曾阻碍加利福尼亚州亚美利加河流域洪水问题的解决。范围较广者是美国陆军工程师团在 1993 年洪水之后，对密西西比河上游流域所作的包罗万象的洪泛区管理评估。前者在许多方面比后者更有助于说明洪泛区管理的意义。利用这两个文件来阐述当前纲领性和政策性问题的实况。第 10 章对洪泛区管理领域进行主观的评价，并提出一种未来可能出现的洪泛区管理模式的观点。这种观点是：现在所说的和所做的，其中绝大部分实际上不能达到洪泛区管理的生态目标，也不能达到其经济目标，但是，总有一天会达到这两种目标。

应当指出，本书的内容不涉及沿海洪泛区。飓风及接着而来的涌浪，使大西洋沿岸地区遭受很大的损失，不过，它与洪水溢岸泛滥现象很不相同。在试图阻止在高风险区进行开发的工作中，管理计划碰到一些相同的人类行为问题，但是，为了洪泛区的管理取得成功，需要尽可能准确地估计那里会发生的问题。

第2章　洪水的难控制性

洪水是经常发生的。发生洪水是寻常而自然的事件,是大气活动的不可预测和不可控制的结果。在大气活动所产生的各种结果中,发生洪水甚至不是很重要的事件。其他气象事件对我们的生命和财产的影响更为严重。例如,干旱就是持续时间更长、范围更广和损害可能更大的事件。有人认为,如果知道干旱的准确损失,其损失可能比其他自然灾害大。近年来,联邦收成保险支出的1/2以上用于补偿干旱损失,而用于补偿洪灾损失的却不到2%。雷击造成死亡人数平均也比洪灾多。甚至在孟加拉国这样世界上遭受洪灾最严重的国家,旋风造成的死亡人数比河流洪水泛滥造成死亡的人数多出100倍。

引起洪水的气象过程受大规模大气循环模式的影响远比受地域的影响大。虽然洪水只是大气循环模式局部小规模的体现,但洪水对人类生命财产的不利影响却是惊人而残忍的,因而它对人们来说是至关重要的。随着地形和气候条件的不同,世界各地洪水的特性各不相同,但观察洪水的方法各地是相同的,都是从洪水对洪泛区以及洪泛区内的居民、植物和动物影响的观点出发。

2.1　洪水的起因

太阳能引起大气层的活动,洪水形成归因于太阳。虽然地球周围大气层的厚度至少有1 600 km,但天气本身只限于对流层,而对流层的厚度不过16 km。在对流层内,空气不停地运动,运动方式以天气过程中热传递为最重要的方式,即对流:受太阳加热的空气因膨胀而上升。赤道(离太阳较近)上空空气最热。因为地球倾斜于其轨道平面,南极和北极上空空气最冷。气温温差悬殊而生风,空气比较冷的、压力较高的区域流向较热的、压力较低的区域。

空气分成几个大风带绕地球循环:赤道无风带、信风带、盛行的西风带和地极的东风带。所有风带的风呈环形流动,热空气流向地极,冷空气流向赤道。四种因素影响这些风带:地球转动、离心力、摩擦作用和地形影响,以及与地球表面特殊条件有关的局部风所形成的副流。此外,气团沿着行星的自西向东旋转的方向作难以捉摸的移动,即科里奥利力。

水循环的基本模式(蒸发,当水蒸气上升;冷凝,当水变成云或雾;降水,当水以雪或雨的形式回到地球)深受空气这些运动的影响。在美国所处的地球的这一部位,气团在冷锋(北纬 50°~60°)碰撞,极地东风带碰撞盛行的西风带,引起波、隆起和低压系统,这些系统沿反时针方向旋转。沿着冷锋发展到这些系统是超热带气旋或锋面低压区,通常称为风暴(图 2-1)。因为春天气团之间密度相差较大,所以可冷凝成水的水蒸气的气团也较大。因此,一年中由于在冻结地面、饱和土和快速融雪水使条件很可能恶化的那几个月内,超热带气旋及其锋面是最平常的现象。正是这些条件使得沿北美洲的各内陆河流产生大洪水(图 2-2)。

另一方面,美国东部沿海地区的洪水泛滥通常是飓风(猛烈的热带气旋)的产物,这些热带气旋大多数年份发生在 8 月和 11 月之间,发源于西加勒比海。沿着典型的西北路线(在某一点转向东北通到大海),这些风暴频繁地以高速飓风和海洋巨浪的形式袭击大陆。

美国降水的主要来源是周围的海洋和格雷特湖。在春季和夏季,水分主要从大西洋和墨西哥湾输送到美国的东部和中部;沿几条路线从太平洋输送到北美,还从北极地区输送到北美。北极地区本身湿度低,但北极上空的气团同暖湿气团相撞时将产生风暴。水分通过各种冷却和凝聚湿空气的垂直气流从大气中释放出来。这种垂直气流包括:热对流,即雷暴、互逆气团的会聚和撞击山脉时气流的被迫上升(山前抬升气流)。上层大气状况可能激发超热带气旋,因为当急流在靠近地面的大气不连续面的上方波浪式自西向东行进而停顿时,会形成像 1973 年和 1993 年在密西西比河

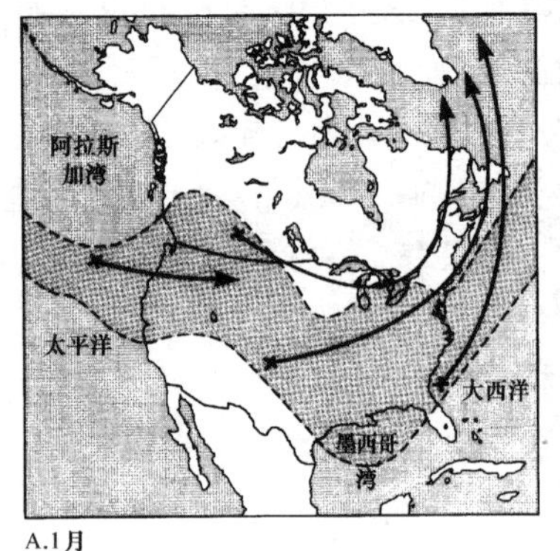

A.1月

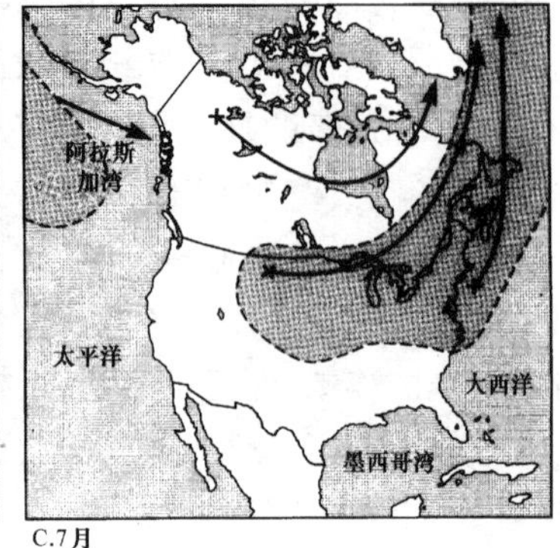

C.7月

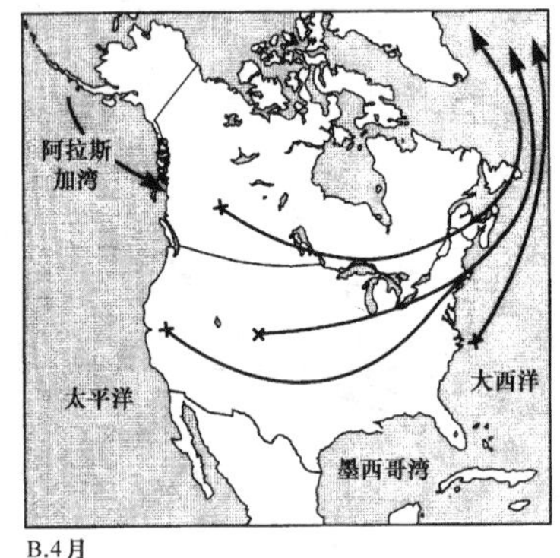

B.4月

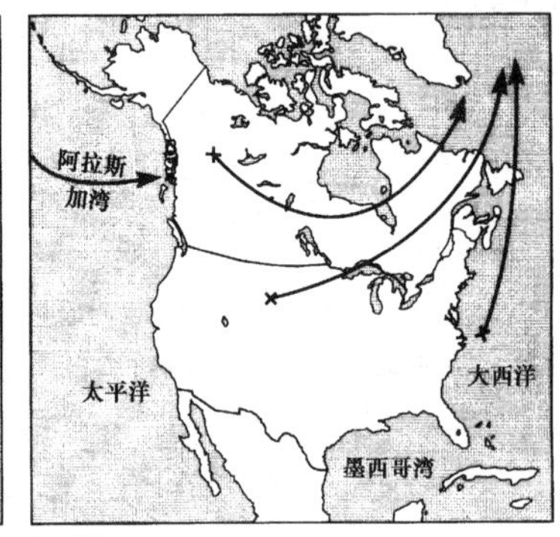

D.10月

图 2-1　北美洲四季中各月超热带气旋的主要轨迹

(根据 1951 ~ 1970 年超热带气旋的频率绘制)阴影区表示在冬季(12 月到 2 月)和夏季(6 月到 8 月)有 50%以上的时间出现超热带气旋锋面的区域。

×→表示超热带气旋的主要轨迹,×表示气旋发源地的中心,箭头表示方向。

上游流域产生暴雨那样的低气压区。

简而言之,气候是由大气不断适应赤道和两极的不同温度的方式所决定的。气候可视为只是天气的时间均值。几个星期以后的天气是不可预测的,到那时,几星期以前盘桓此处的空气已移到实际上未知其初始条件的他处。此外,气候会随着一些不可预测的事件,例如太阳黑子和火山活动而改变。预测下个月的天气和预测21世纪的气候改变是同样困难的。

过去的气候情况,的确知道一些,然而,对气候现象的系统观

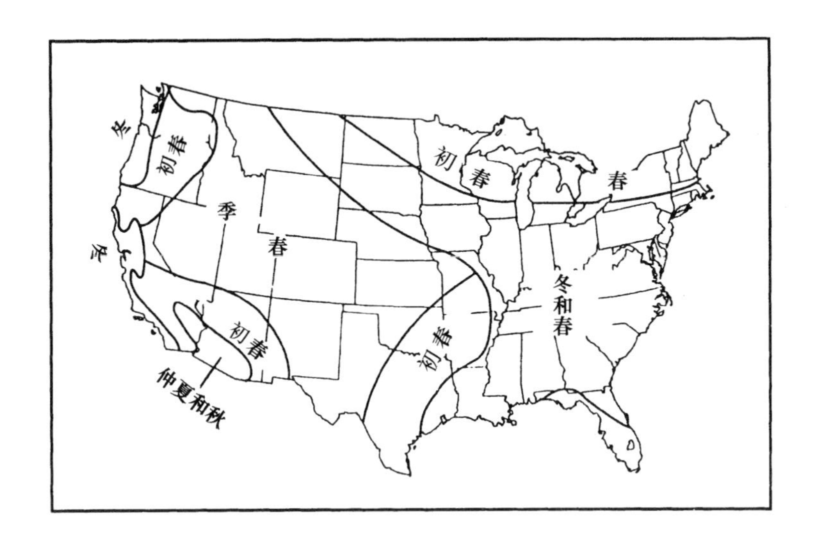

图 2-2　美国及其周边国家不同地区发生年最大洪峰的季节

测，平均不超过35年，古水文记录有一些过去气温和降水的资料。例如，我们知道过去的10亿年的气温平均比现在高10℃。从较短时间范围来看，我们现在明显地处于间冰时期，这个时期的变暖始自 10 000 ~ 14 000 年前。在过去的 1 000 年中，公元 1200 年是一个界限，公元 1200 年以后，气温逐渐变冷，一直持续到公元 1895 年，自公元 1895 年以来，冰川一直在缩小，气温上升。政府的的气候改变研究小组业已观测到，在最近的 100 年间，地球表面平均气温增加了0.3 ~ 0.6℃。从较长的时间范围来看，这种短期的变暖趋势，在预测未来气温变化趋势方面不是特别有帮助，对预测未来气温变化趋势可能引起的洪水更无从谈起。

年轮分析表明，在过去的 400 年间，多年平均降水量没有大的改变，但在这一时间范围内，每 20 ~ 30 年内的降水量及其可利用性却有很大的摆动。例如，在 1920 ~ 1965 年这 45 年间，降水量及其可利用性都很小。因为我们的大多数雨量站，仅自 1942 年以来提供了系统的平均数据，所以历史记录在预测降水量方面，可能比在预测气温变化趋势方面的用处更小。

2.2 洪水的特性

知道了美国境内的气候规律，就不难了解在春季降暴雨因而洪水泛监是正常现象。根据美国地质调查局的资料，“当天气大大地偏离长期的气候规律时，就会发生洪水”，但很难认为偏离气候规律是引起洪水的条件。有人把洪水说成是由天气所造成的，这种天气输送到流域的降水量比它能吸收或储蓄的多，但这只是一般降水量的定义。一个流域的水文毕竟要受流域地形的影响，首先，高地要吸收、储蓄和利用一部分降水量，然后，其余的降水量才开始流入溪流，最后汇集到江河的干流。江河下切以输送经常遭遇的水流。但是由于年内降水量变化，在冬季和春季，可以预计河水会漫过平常的河岸，泛滥到洪泛区。洪泛区是普遍存在的地貌特点，范围之大，有时从干流河槽向外伸展几公里。它们被无数次横溢其上的洪水弄得平坦而平整，它们也证明了河水漫过河岸的规律性。真正的由天气偏离长期气候规律造成的洪水，其泛滥范围将超出天然洪泛区，按照定义，是一种还没有发生过的洪水。根据钟形曲线分布，洪水泛滥有其特大事件。当暴雨的大气温度、频率、位置和持久性出现独特的组合，土地条件又出现季节性的变化时，就会产生异常洪水，这种洪水是决不会被忘记的。在美洲印第安人、斐济岛上居民和澳洲土著的民间传说中，在希腊的神话中，在古代巴比伦和米索不达米亚的传说故事中，流传着真伪可疑的洪水以及 Judeo - Christian 记事中 40 昼夜的大雨。

洪水的具体形式取决于降水所在地区的地貌。基岩的结构、地表沉积物和土壤、耕地的数量与植被的类型、地形起伏、河床坡度、气温和季节，所有这些条件和其他条件，以及自然环境的人为改变和管理，决定着洪水的形态。各地都发生洪水，但各地的洪水互不相同。

爱尔兰的洪水系由泥煤层破坏而产生，那里的暴雨引起泥煤层滑动，产生洪水灾难。英国人比较关注沿海地区的洪水泛滥，其东南沿海地区以每世纪 30 cm 的速率慢慢地沉入大海，风暴袭击西部和南部沿海地区，在泰晤士河上已经修建了屏障，可保护英格兰和威尔士 2% 的人口免受 1 000 年一遇洪水之害。热带气旋袭击许多亚洲国家和澳大利亚的东海岸。在中国，公元 1870 年在长江发生了大洪水，其洪量高达 1 852 亿 m^3，长江正在建设三峡大坝以控制其上游的洪水，三峡工程移民超过 100 万人。孟加拉国 1988 年的洪水淹死了 1 400 人，3 000 万人生活在一个流域的三角洲，该流域还分属其他 4 个国家，北部的几个国家有各自的特殊问题。在加拿大，常规的水文方法都不适用于经常由结冻和解冻所产生的凌汛，那里的洪峰流量由积雪量所决定。在日本、加拿大和阿尔卑斯山脉地区，泥石流是个大问题。冰川消融洪流（融冰水体灾害性地突然下泄），是冰川不断变化的不可避免的结果。

美国典型的河水溢岸泛滥发生了一些变化，不过规模中等，这种泛滥发生在美国的各地，每年几百次。在高山峡谷地区，短时暴雨所造成的山洪暴发，或非自然现象（例如垮坝）所造成的水体突泄洪水，在美国的各个州都有发生。这种洪水太突然太猛，以致不能预先发出警报，因而经常造成生命财产损失。冲积扇（像美国西南沙漠地区的冲积扇）产生带大量泥石的洪水，这种洪水也是危险的。美国北部至少 35 个州发生凌汛，而一些具有沿海平原的州，特别是大西洋沿岸的一些州，则遭受由热带风暴和飓风所产生的巨浪的袭击。

在美国，许多洪水由于损失大而颇受关注（表 2-1）。某些流域尤为突出。密西西比河在公元 1849 年、1850 年、1862 年、1865 年、1869 年、1874 年、1912 年和 1913 年都发生了造成损失的洪水。1927 年，当密西西比河再次发生一连 3 个洪峰的洪水时，50 000 km^2 的土地被淹，200 多人死亡，70 万户居民的住宅被毁，这次洪灾是自圣弗兰西斯科地震以来最大的自然灾害。1973 年，密西西比河的洪水，在河水溢岸的历时方面创造了新的记录。1993 年密西西比河上游的大洪水又创下了一些新的记录，但死亡人数没超过 50 人。公元 1850 年，加利福尼亚州萨克拉门托河发生的大洪水，促使萨克拉门托市曾考虑将其城市迁到地面较高之处。该市位于洪泛区，公元 1862 年、1881 年、1891 年、1907 年和 1986 年都出现了造成损失的洪水。

表 2-1　　美国各流域一些具有代表性的大洪水

年份	洪水
公元 1850 年	密西西比河和萨克拉门托河洪水泛滥
公元 1862 年	密西西比河和萨克拉门托河洪水泛滥
公元 1865 年	密西西比河洪水泛滥
公元 1869 年	密西西比河洪水泛滥
公元 1874 年	密西西比河洪水泛滥
公元 1881 年	萨克拉门托河洪水泛滥
公元 1889 年	宾夕法尼亚州的约翰斯敦垮坝
公元 1891 年	萨克拉门托河洪水泛滥
1907 年	匹兹堡地区和萨克拉门托河洪水泛滥
1912 ~ 1913 年	密西西比河洪水泛滥
1913 年	俄亥俄河洪水泛滥
1927 年	密西西比河洪水泛滥
1935 年	新英格兰地区和俄亥俄河流域洪水泛滥
1936 年	萨斯硅汉纳的波托马克河和上俄亥俄(正兹堡)河洪水泛滥
1937 年	俄亥俄河流域洪水泛滥
1951 年	堪萨斯河和下密苏里河大洪水泛滥
1965 年	密西西比河洪水泛滥
1972 年	南达科他的布莱克山山洪暴发和垮坝
1973 年	密西西比河洪水泛滥
1976 年	科罗拉多州汤普森大峡谷山洪暴发
1977 年	宾夕法尼亚州约翰斯敦附近山洪暴发和垮坝
1986 年	萨克拉门托河和密苏里河洪水泛滥
1993 年	密西西比河和密苏里河洪水泛滥

1913 年,俄亥俄河流域的洪水泛滥,死亡 400 多人,财产损失 2 亿美元;1935 年,俄亥俄河发生了更为灾难性的洪水,当时死亡 200 多人;1937 年又发生了类似的洪水。大多数年份,俄亥俄河流域总有地方洪水泛滥。

公元 1889 年,宾夕法尼亚州的约翰斯敦大坝失事,死亡 2 000 人,1936 年发生破坏性较大的洪水,1977 年又发生了类似的洪水。1907 年,匹兹堡的洪水造成可怕的损失。1935 年的洪水肆虐了一些州:从华盛顿到纽约,从得克萨斯北部到威斯康星。1936 年,东部沿海地区发生洪水,淹死 100 多人;洪水从波托马克河溢出,越过一些公园,直逼立法者们曾在那里起草全国第一个防洪法的国家大厦。人们不知道春季会发生洪水的确切地方，但的确知道它会发生。

2.3　洪水的描述

早期的洪水记录只够用来谈谈轶事，广泛而系统地记录可靠的洪水是近期的事情，只有在这种记录的范围内，才能系统地评估我们最为关注的洪水特性：洪水流量、洪水持续时间和洪水水位。因为每种测量结果同一个单一测量地点相联系，所以描述整个洪水特性的详尽与否取决于流域内测量装置的数量和布置。美国地质调查局在全国比较重要的流域设置有大而重要的自记仪器系统：1990 年在工作的有7 363台。然而，在美国流域面积为2.5 ~ 5 km^2 的 80 多万条支流中，进行测量的不到 60 条，而且，自 1980 年以来，仪器的整个数量实际上一直在减少，因为共同进行这种测量计划的地方政府削减了仪器数量。

人们感兴趣的洪水水文特性，远比河川仪器所记录的广泛，除洪峰流量外，还包括：洪水水位和历时，传播时间，峰值上升的速率；水流速度；行洪道和洪泛区的淤积与冲刷；地貌特征对洪水的影响和洪水对地貌特征的影响；洪水河槽、洪泛区和人造建筑物的水力学；以及洪水对水质的影响。因为不能对所研究流域的各个地点都收集这样一些资料，所以只有基于已掌握的资料采取水文模拟的办法。

人们最感兴趣的是洪水的单个特性究竟多大。不过，就实际的流量和峰值水位来说，超出了各自的流域范围，“大”也就无意义了。业已采用一种比较理想的确定洪水大小的方法：超过概率法。通过分析某一流域内历史的洪水记录和各种大小的实际洪水的测量结果，可以产生一条描述在任何一年内超过任何已知流量的洪水的概率曲线。具有某一洪峰流量的洪水，过去出现的次数愈多，再次出现的可能性也愈大。因此，用任何指定年内流域超过一定大小的流量概率来描述洪水，例如具有 1%、2%或 10%概率的洪水。因为这是一种非专业人员考虑洪水时使用不便的方法，为了描述洪水重现的可能概率，进一步采用了一些专业术语。例如，如果在某一具体时间内，一个洪水具有1%的超过概率，那么可以预计，在无限过程中，每100年发生一次这样的洪水。同样，2%的洪水，理论上每50年将发生一次，10%的洪水每10年将发生一次，等等。不过，这个术语是不可靠的，因为它经常被错用，比如，“向上抛硬币，出现正面的概率为50%，往往连续两次出现背面”，“百年洪水也会紧接着发生”，两者的意思是相同的。这些计算还存在许多其他问题，这些问题将在第6章中加以讨论。正如有人断言的，如果典型河流的河水每1.5年达到其河槽的上限，那么，该河流发生洪水的概率是66%。

虽然洪水普遍地用概率或重现频率来称呼，但实际描述的只是洪峰流量。可用一个或两个术语来描述洪水的其他参数，且可涉及流域内任何一个地区。同样的气象原因可能在一条支流上产生100年一遇的洪水流量，但是在另外的毗邻河流上却不能，即使这条毗邻的河流是在一个流域的小范围内，而不是另外一个流域。1993年发生在密西西比河上游的洪水，有时称之为500年一遇事件，但只有少数仪器记录了那种等级的峰值水位，在全流域所记录的峰值水位超过10年一遇洪水水位的154只仪器中，一半记录的水位低于100年一遇洪水的水位。

为了预测未来的洪水和为防洪工程制定设计标准，可使用这种术语描述历史洪水。如果一个工程师想要设计一条堤防，其高度足以防止100年一遇洪水漫顶，那就是说该堤是按100年一遇洪水水位设计的。洪泛区也用超过重现期来描述。

2.4 洪泛区的描述

洪泛区具有容易识别的地形特点，它是一个流域的高地和河流与河槽之间的过渡带。一般说来，洪泛区广阔而平坦，有大量从流域上部带来的泥沙，有各种各样的植被、野生动物、鱼和候鸟。洪泛区的实际地貌受下游地层和表土的性质，以及植被和流域本身的坡度与排水特性的影响。有时，由于河流蜿蜒曲折，下切、冲蚀、冲刷和淤填，使得洪泛区和河槽之间没有非常明显的界线。洪泛区的地貌特征，如图2-3所示出的，可能变得极为复杂。

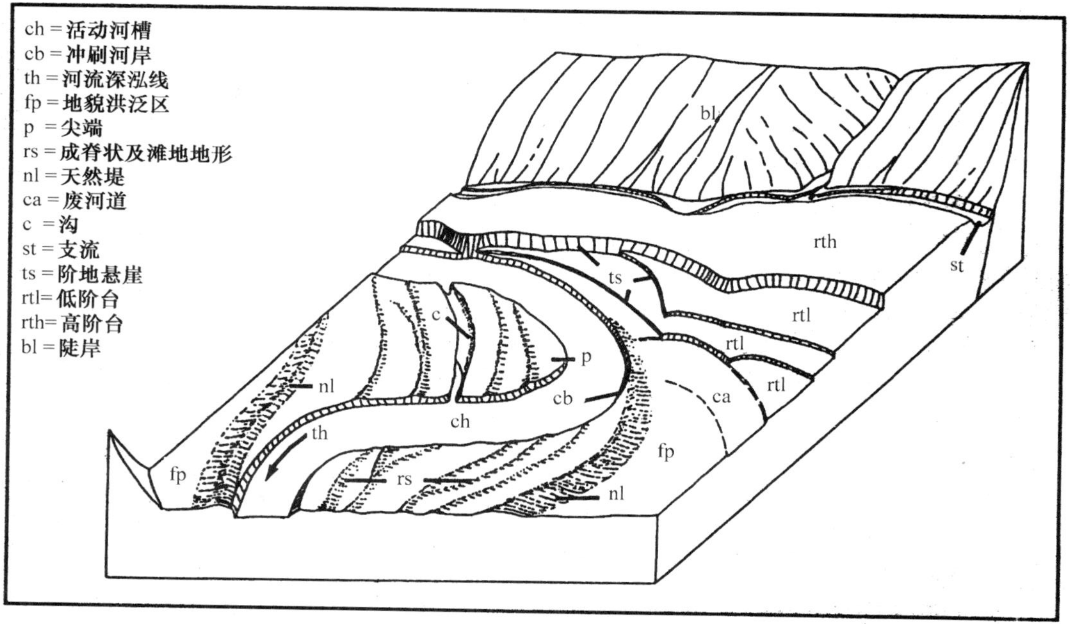
ch = 活动河槽
cb = 冲刷河岸
th = 河流深泓线
fp = 地貌洪泛区
p = 尖端
rs = 成脊状及滩地地形
nl = 天然堤
ca = 废河道
c = 沟
st = 支流
ts = 阶地悬崖
rtl= 低阶台
rth= 高阶台
bl = 陡岸
bl
rth
st
ts
rtl
rtl
rtl
c
p
ca
nl
cb
ch
th
fp
fp
rs
nl

图 2-3　密苏里河洪泛区的自然地貌特征

气候的千变万化使得河系不断在改变。洪泛区的边界处于不断改变的状态，这使得洪泛区在生态上非常重要。洪泛区的环境和各处的湿地一样，具有干湿交替的特殊条件，这有助于植物和动物的多样性和兴旺。正是这种摆动的边界规定了洪泛区的生态意义。

而管理给洪泛区下的定义就大不相同了。在洪泛区上进行建设或开发必须是公平的，为了做到公平，希望洪泛区的边界线是明确的。执法人员必须能够指出一条线，以确定超过这条线管理条例的适用性。为此，应用概率或频率重现原理，国家水灾保险计划已采用 100 年一遇洪水的洪泛区作为管理范围，意思是：该计划选用每年有 1% 概率发生的洪水来确定洪泛区，在这样确定的洪泛区内从事新的开发项目应该加以管制。

美国陆军工程师团（CORPS）经常按“标准设计洪水”水位设计防护建筑物。标准设计洪水被规定为某地合理预计可能发生的最大洪水，一般认为约为 500 年一遇的洪水。另一方面，农业防洪堤一般不排斥采用大于 50 年一遇的洪水标准，一些次要地区，有时则仅采用 10 年一遇的洪水标准。

洪泛区范围的不同规定使估计易受洪灾的土地面积的工作较为困难。1977 年，水资源委员会（WRC）估计，全国（包括阿拉斯加、夏威夷和加勒比）有 7% 的面积，即71.5万 km^2，是在 100 年一遇洪水的洪泛区范围内，即属于国家水灾保险计划管制的洪泛区。1987 年，联邦应急管理局（FEMA）估计，在国家水灾保险计划区域范围内，有37.6万 km^2 是容易遭受洪灾的，如果水资源委员会的数字是正确的，那么在那些区域之外，还有33.6万 km^2 属于 100 年一遇洪水的洪泛区。1994 年，洪泛区管理进行全国统一规划时是用37.6万 km^2 来描述美国的洪泛区面积。

然而，洪泛区的总面积则定得大得多。1982 年，美国农业部采用 20 世纪 70 年代初期的数据，在其编制的全国资源清册（NRI）中，估计 78 万 km^2 的非联邦农村土地（不包括阿拉斯加）是易遭受洪灾的。10 年以后，在全国资源清册 1992 年的信息（未发表，1996 年 2 月由美国农业部自然资源保护局提供）中，农业部决定把61.6

万 km^2 的非联邦农村土地分属三种洪泛类型:21.6万 km^2 经常洪泛,21.2万 km^2 偶遇洪泛,18.8万 km^2 罕遇洪泛。自 1982 年编制全国资源清册以来,农业部一直在修改洪泛区土地分类的方法。现在他们是使用与土壤和植被有关的资料来识别土地应属于三种洪泛类型中的哪一种。美国农业部规定的三种洪泛类型为:

(1)经常洪泛是很可能经常发生的洪泛;在寻常天气条件下,任何一年出现洪水泛滥的概率为 50%以上,在 100 年中,出现 50 次以上。

(2)偶遇洪泛是在寻常天气条件下不会经常发生的洪泛;在任何一年出现洪水泛滥的概率为 5% ~ 50%,或在 100 年中,出现 5 ~ 50 次。

(3)罕遇洪泛是在寻常天气条件下不大可能,但在非寻常天气条件却有可能的洪泛;在任何一年中,出现洪水泛滥的概率为 0 ~ 5%,在 100 年中,出现 0 ~ 5 次。

按照这种定义,《国家水灾保险计划》用来描述 100 年一遇洪水的洪泛区有些地方属于农村罕遇洪泛土地这一类型。

洪泛区的不同定义使得不能就洪泛区土地的面积轻易得出结论,不过,这样一般化的数字,不管怎样,或许既不合适也没有什么用。把一种硬性的思维产物强加给一种现象,毕竟是人为的,就按其定义,这种现象也是在不断变化的,我们的管理实践以不同的方式影响不同定义的洪泛区。当沿着一条河流的河槽修建一条堤时,它对洪泛区所起的作用取决于哪种定义被采用。依靠洪泛区暂变干/湿特性而兴旺的生态系统,由于耕地取代了暂变干/湿带而遭到破坏。过去那里存在的受规章限制的洪泛区,现在或者改变了,或者消失了。国家水灾保险计划认为防护堤内的土地是无洪灾的,至少在防护水位以下是如此。例如,一所位于 100 年一遇洪水的洪泛区内的房子,在建堤之前安然无恙,这所房子就被认为不再处于受管制的洪泛区之内。在 100 年一遇洪水水位之下,它的基础可能是好的,然而,如遇洪水比 100 年一遇的稍大,房屋的损失就得不到补偿;堤决口或漫顶时,堤内财产的损失也得不到补偿。

由于这样和那样的理由，对于第6章中所讨论的不少内容，按100年一遇洪水定义受管制的洪泛区是有问题的。从洪泛区管理的观点来看，我们关注的是处于洪灾损失风险中的生命和财产。然而，风险是一种主观概念，政府和个人都是根据他们愿意冒多大的风险来作出主观选择。后果的灾难性愈大，承担风险愈困难。同一个人，他可能把鱼棚建在100年一遇洪水的洪泛区，把住宅建在500年一遇洪水的洪泛区，而把别墅放在陡坡上。同样，政府的决策也不得不受损失的账单多大和多少财产处于风险之中所左右。

遗憾的是，我们没有系统地收集数据，因而不知道在不同定义的洪泛区内有多少财产和多少人处于风险之中。1987年的联邦应急管理局研究，通过对当时属于洪灾保险计划的17 466个社区的调查，得出洪泛区的面积为3 800 km^2。这种100年一遇洪水的洪泛区的面积为960万个洪泛区家庭所利用，这些家庭的财产价值3 900亿美元。截至1995年，国家水灾保险计划管理人员估计，该计划的18 408个社区的300万张保险单相当于处于风险的全部家庭的25%，暗示总计1 200万个家庭利用了洪泛区。如果把这些数字同以前的相比，那么，自1987年以来，在100年一遇洪水的洪泛区上，家庭的数目增加了25%。1978年，Jack Schaeffer的研究报告估计，有450万个家庭单元和32.5万个非家庭单元位于“特别洪灾区”。我们需要知道位于100年一遇洪水的洪泛区的家庭数目从1978年到1987年是否真的增加了1倍，但由于没有系统的数据收集，我们目前还不知道。

美国农业部在全国资源清册中记录了利用农村洪泛区的情况。对1992年全国资源清册中遭受从罕遇到常遇洪水的非联邦农村土地(不包括阿拉斯加)，按照表2-2所示的土地利用情况进行了划分。

在讨论洪泛区的利用中，1992年的评估报告参考了《全国湿地通讯》1985年第9～10期上刊登的Constance Hunt的估计，即较低的48个州的1 400 km^2沿河固有的森林生境，仍然处于“近似的自然状态”。这与全国资源清册中的数字相当一致。

表 2-2　　　　　　　农村非联邦的洪泛区的利用

1992 年覆盖/土地利用	罕遇、偶遇或常遇洪水淹没的面积(英亩)	百分比(%)
耕地	49 943 000	32.3
草地和牧场	48 528 300	31.4
林地	43 757 000	28.3
其他农村土地	12 453 100	8.0
总计	154 681 400	100.0

在 1992 年的美国资源清册中,常遇洪水泛滥的土地为:耕地 47%,牧场 13%,牧草地 11%,其余 15%为其他类,包括建筑物用地、防风设施用地和属于矿藏保护计划的土地。

总之,最普遍的认识是,洪水泛滥是河道水流从河岸溢出。虽然,平均说来,每1.5年发生一次洪水泛滥,但在某一年发生一定大小或重现频率的洪水的实际数目是没有现成的容易估计的方法的。从气候的观点来看,产生洪水的降水是自然界不可避免的事件;从生态观点来看,洪水泛滥既是需要的又是必须的。问题是,从经济观点来看,洪灾会造成经济损失。

世界各地的洪水和洪水造成的损失,其类型各种各样。在美国,洪水一般用其大小来描述,洪水的大小则用重现频率来定义。较大的洪水很少发生(例如 500 年一遇),其重现概率小(0.2%)。较小的洪水频繁发生(例如 10 年一遇),其重现概率大(10%)。

洪泛区用泛滥其上的洪水来定义。《国家水灾保险计划》选定 100 年一遇洪水来定义很重要的管制计划的洪泛区,这可能有争论。这意味着:1%的洪灾损失风险概率,是当把洪泛区投入新的开发时努力采取保护措施免遭洪灾的保险概率。《国家水灾保险计划》估计,住在洪泛区的家庭为 1 200 万户。美国农业部确定遭受洪泛的农村土地为 6 200 km^2(1.53亿英亩)。人们不必知道某一时间这些数目的绝对值,但人们想知道的是它们是否会改变和怎样改变。这对管理洪泛区而言,是很重要的。

第3章　洪泛区管理的需要

3.1　究竟为何管理洪泛区

历史上，主要是为防止水灾造成的损失而对洪泛区进行管理。洪泛区泛滥损失通常是称“经济上”的损失。特别是在春季，当上游洪峰到达时，洪泛区洪水泛滥，造成人民生命财产损失。人们总是在洪泛区建立自己的家园、种植庄稼、休养生息，在洪泛区，比在其他任何地方更易谋生。洪泛区地势平坦、土地肥沃适于种植。沿河城镇的工商业曾主要依赖廉价的水运，许多城镇至今仍从水运受益。河流提供了水源和倾倒垃圾的场所。由于洪水泛滥，洪泛区土地为居民的开发提供了便宜和便利的场所。洪泛区的住宅和娱乐设施得益于河流和湖泊的美景、水面和水下的娱乐项目和渔猎或观赏之便。洪水时所有这些活动被迫中断，有时遭受灾难性破坏。事实上，洪泛区管理最重要的目的就是防止洪水中断这些活动、防止破坏家园和商业，甚至夺走生命。

洪泛区的另一个重要影响是对环境的影响。健康的生态系统要求保护现有的，并恢复已消失的湿地和洪泛区，各种脊椎动物和无脊椎动物、鸟类和鱼类的多样性和丰富性，以及它们赖以生存的植物，均依赖于自然洪泛区的特定条件。人们有理由重视这些自然系统，这些理由中仅有几条很具体。食品工业依赖于洪泛区的养殖能力。更重要且不具体的是人们对保护自然环境的重视，对野生动物栖息地进一步消失的普遍担忧，以及物种灭绝时的失落感。对这些担忧不可能用金钱来衡量，但确实让人们愿意为它们花钱。保护和维护洪泛区内繁茂的珍贵生态系统是洪泛区管理的第二个重要目的。

因此,基本上不相容的经济和生态利益刺激了洪泛区管理的需要。生态系统可由洪水泛滥而繁荣,经济活动则不能。娱乐业的利益则利弊兼有。打猎、露营、漂流和观鸟需通过保护天然洪泛区来进行,其他依赖水的活动如游泳、冲浪和快艇则需具有永久和可预测岸线的大型稳定水体。目前的洪泛区管理问题是如何兼顾两方面的利益。

3.2　洪水泛滥的经济影响

一方面,洪水泛滥实际上产生了一些经济效益。在技术水平较低的古代,洪泛区的农业利用了沉积营养物在洪泛区土壤的富集作用。美索不达米亚的祖先使用底格里斯河和幼发拉底河的洪水灌溉巨大的冲积扇。他们在冲积扇上创建了古老的文明。在埃及和苏丹,拦截尼罗河洪水来种植庄稼至少可追溯到6 000年前。甚至今天有些不发达国家的洪泛区居民仍为了适应每年的洪水而调整农事活动。孟加拉国最近的防洪工程,成功地保护了洪泛区免遭水灾,但导致土壤肥力降低,更加依赖化肥,也使鱼类减产。此外,行洪过程冲走泥沙和有害的污染物,为扩大和保护有经济价值的鱼类产卵区和渔场提供了条件。最后,上游洪泛区的蓄洪可削减下游洪峰,防止下游受灾。然而,洪水的经济效益极少得到量化,且通常被忽略。

另一方面,水灾造成一定的经济损失。估计水灾的经济损失有两个目的:一是评价历史洪水的现实影响,二是预测假设水灾的损失,这在评价可能的防洪工程或制定合理的洪泛区管理策略中是很重要的指标。

洪泛区中由洪水淹没产生的经济损失传统上仅限于财产损失和农业收入的减少。生命的损失曾经是洪水泛滥的一项重大影响内容。例如 1993 年密西西比河上游洪水,据报道有 47 人丧生;1927 年密西西比河洪水摧毁了 41 000 座建筑物并夺走了 250 ~ 500 位洪泛区居民的生命。今天,人们可尽早得到警告,以便在洪水发生前撤离,尽管他们几乎无法带走他们的财物。

在 20 世纪,有报道的财产损失逐步增加(图 3-1),然而对由大

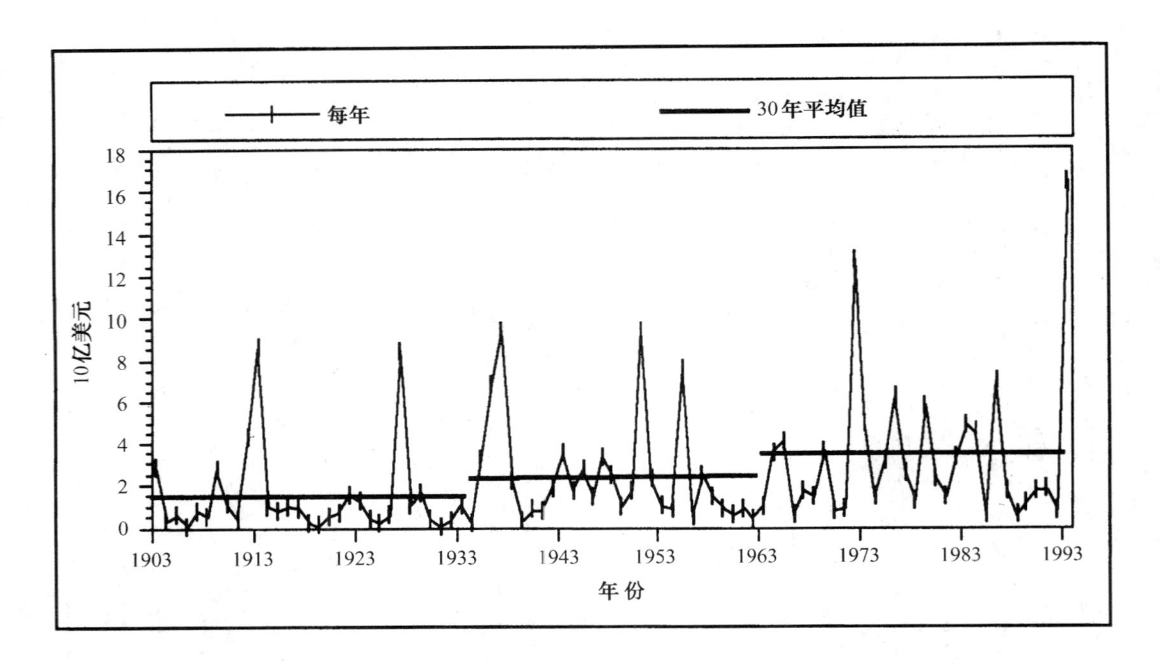

图 3-1　1903 年以来美国每年和 30 年平均洪灾损失（以 1993 年美元币值计）

平均年损失从头 30 年内的 15 亿美元增长到最近 30 年内的 34 亿美元（据美国气象局资料）

洪水造成损失的估计相当不准确。这是不可避免的,因为没有机构或部门负责损失评价,或为此投资。联邦应急管理局仅在自然灾害袭击之后进行充分的评价,以确定这些破坏足以成为由总统宣布的一个重大灾难,并且因而有获得联邦援助的资格。官方的估计来自国家气象局。国家气象局尽其所能将各个州和地方的资料,包括媒体报道汇集在一起制成表。国家气象局没有正式的责任,自然就没有关于这方面的资源,而且该机构最先认识到它的严重的不足。这种对损失数据不系统的收集产生了一些相当奇怪的结果。1993 年密西西比河上游洪水就是这方面的一个实例。

在洪水之后的 12 个月内,对那次气象事件的损失值估计为 100 亿~200 亿美元。官方的数字最后定为 157 亿美元,这是国家气象局的最佳推测。这些损失远远大于任何以前的水灾损失。例如,1951~1985 年,年平均水灾损失为21.8亿美元。1993 年灾害后,联邦政府急忙采取了行动,包括联邦机构间洪泛区管理特别工作组要求洪泛区管理审查委员会拟订一份报告。这份《Galloway 报告》于 1994 年 6 月公布,报告批准了 157 亿美元的损失数字,但该报告也惋惜缺少可靠的损失估计。该委员会对洪泛区管理政策进行了全面的分析,并对未来提出了建议,促进了 1994 年"国家洪泛区管理国家统一规划"最新版的颁布。显然,洪泛区管理政策与这 157 亿美元的损失有重要联系,如果实施了更好的政策,至少可以避免部分损失。然而事实并非如此(图 3-2)。

1993 年密西西比河上游洪水还促使陆军工程师团芝加哥管理区根据议会的行动要求而准备了《洪泛区管理经济评价报告》(FPMA)。该评价报告包括由陆军工程师团密西西比河下游(LMV)分部于 1995 年 2 月制定的有关经济损失数据方面的出版物。主报告于 1995 年年中出版,但在 1996 年初损失数据报告仍未出版,出版日期也未定。然而,洪泛区管理经济评价报告中使用粗略的原始数据和总计数字表明,与官方数字相差很大。

洪泛区管理经济评价主报告认识到对洪泛区管理问题的分析必须区分开 1993 年两个相关但又不同的破坏现象:沿河的洪水泛滥和上游流域土壤被洪水浸泡。505 个县宣称它们符合水灾援助

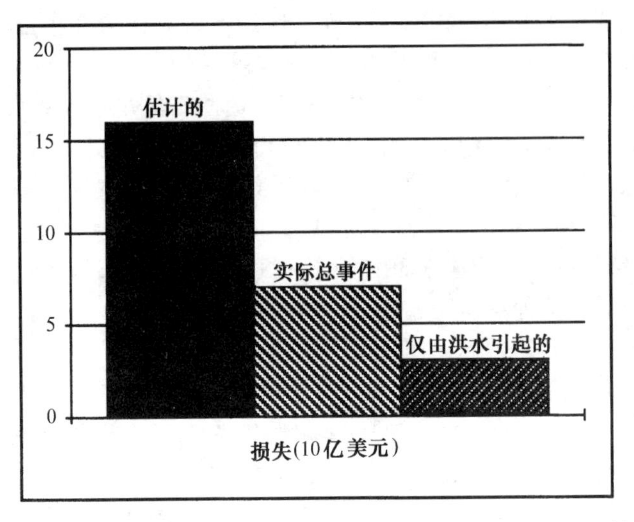

图 3-2　1993 年中西部气象事件中估计损失与实际损失的比较

的条件,但洪泛区管理经济评价发现,其中只有 125 个县处于邻近大河的灾区,从而可能受洪水泛滥的影响。他们确定了30.9亿美元实际洪水泛滥损失,其中9.78亿美元,即 32%是农业和其他农村损失,6.62亿美元,即 21%为城区居民损失,其余 47%,即14.47亿美元为"其他城区损失"(图 3-3)。对于这 125 个县,没有提供更

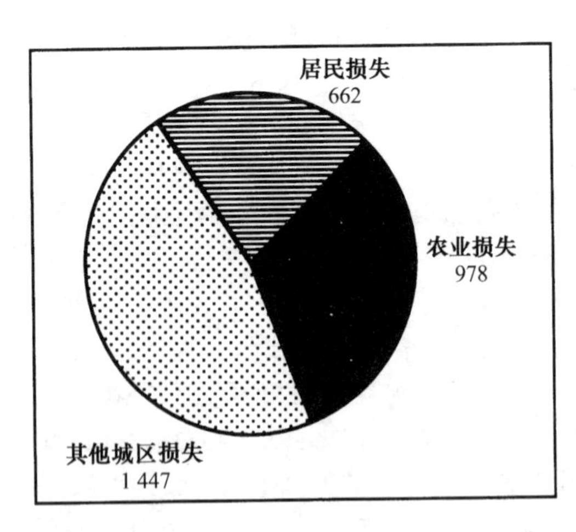

图 3-3　1993 年洪水泛滥损失的分类(单位:100 万美元)

详细的数据。密西西比河下游的粗略损失数据对密西西比河和密苏里河流域450个县中每个县的损失都进行了分类，但它没有进行主报告提出的重要区分。在对于洪水泛滥而言很大的“其他城区损失”一栏，450个县遭受的水灾损失中工商业占46%，交通业占27%，公共事业占19%，设施占8%(图3-4)。“其他城区损失”的细分是否适用于洪泛区的125个县仅仅是估计。第9章将详细讨论洪泛区管理经济评价。

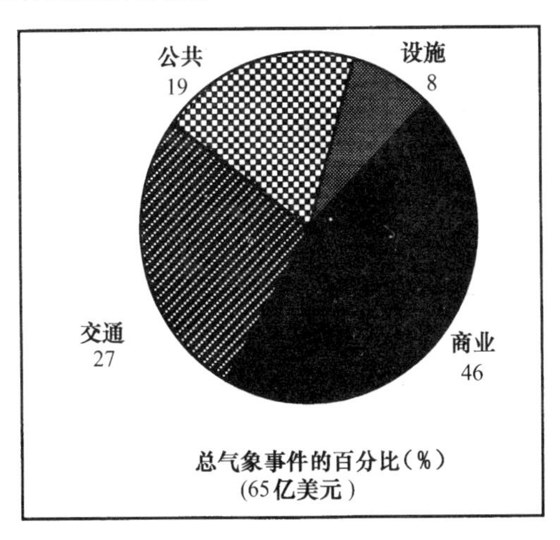

图3-4　1993年中西部洪水城市其他损失的分类

在大部分有资料记载的关于洪水的讨论中不缺乏对1993年整个水文气象事件与主河道洪水泛滥之间的区别，尽管其联系被忽略。《Galloway报告》甚至认为157亿美元的损失“大量”产生于上游流域，是土壤浸泡、地表壅水和地下水位抬高的结果。考虑到山地洪水的范围，该报告认为总损失主要为农业损失。这份6册的工程师团作的灾后报告避开这个问题，引用了国家气象局的数字(这个数字现在已变成156亿美元)，提出一些传闻中的损失信息，并声明1995年6月的洪泛区管理评价将提供损失数据。

然而，洪水和山地损失之间的区别仅能说明部分问题。陆军工程师团密西西比河下游分部提供的整个事件粗略的水灾损失仅为65亿美元，不到官方记录中157亿美元的1/2。这65亿美元的损失中,农业约占60%,居民损失为12%,其他城区损失26%。虽然可获得的数据不多,但仍显示出与先前报告的不一致。例如,《Galloway报告》估计50 000户居民的房屋受河流洪水破坏,另50 000户居民因地下水上升和下水道堵塞而受灾。陆军工程师团密西西比河下游分部的初步数据表明总共有36 781位居民和3 791座商业建筑遭受到水文气象事件的损害。

对1993年夏季持续而猛烈的中西部暴风雨,人们普遍感觉水灾损失约为160亿美元,是可由洪泛区管理控制的,其中大部分为农业损失。实际上中西部洪泛区损失最多为30亿美元,其中3/4在城市。对水灾损失报道的不准确对于从事该项工作的任何人都不足为奇。Howe和Cochrane引用Tomas P. Grzulis在国家科学基金顾问委员会1989年2月2日的备忘录中的话:"我发现从事洪水调查的人都不相信国家气象局的数字"。奇怪的是国家气象局的数字一直没有更正。如此草率的虚报说明效率低,不可能产生合适的解决办法。

Howe和Cochrane接着提出了分类和收集水灾损失数据的方案。他们建议用金钱来衡量洪水对生命财产和生产过程中断造成的经济损失(另外两个破坏类型即历史遗迹和自然财富,在其余部分讨论)。在他们的方案中,财产损失包括商业和政府固定财产和生产资料、居民和个人财产。他们提出对人民的损害的衡量不仅依据生命的丧失,而且考虑家务或生产能力的丧失以及对"身心健康"的影响。生产中断的计算是农业生产、渔业、制造业、运输系统、服务业、政府管理与服务等活动的延误或"附加价值"的总损失。Howe和Cochrane提议使用93类美国标准行业分类来鉴定经济活动,另外还包括诸如食品加工和休息中断等家务方面。

密西西比河下游的初步数据概括为居民的、工商业、公共的、交通、公共事业、农业、紧急事故和其他的损失种类。这些损失又进一步细分为约50个数据单位,包括遭受损失的单位、财政收入损失和财产损失。通常,损失报告不管如何分类,只是简单地分为城市损失(含财产损失清单)和农业损失,即一季作物收入的损失。更多的情况下,损失报告只有一张数字清单。

用一个数字表示损失的“最好的猜测”是完全恰当的，但真实的损失估计要求分类和定义。然而，将“过分潮湿”与洪水泛滥损失混为一谈是不恰当的，因为我们用于解决这两个问题的方法与这两个问题本身是不同的。历史水灾损失估计(图3-1)可能更接近整个水文气象事件的特征；但洪水泛滥损失的大小和趋势都不相关。例如，Hoffman曾报道，对作物的水灾损失保险每赔偿1美元，就要为“过分潮湿”问题赔偿8美元。尽管掌握水灾损失真正在何处及如何发生是缓解这些损失的最关键的一步，然而这一步我们尚未做到。

3.3　洪水的生态影响

洪水对自然系统有积极和有益的影响。尽管大洪水可能会导致一定的生态破坏。已发现长时间的很高水位破坏个别植株。例如，陆军工程师团观测到大量的梧桐以及两个航道旁边所有的朴树和密西西比朴树被1993年密西西比河上游洪水毁坏。特大洪水总是导致短期的生态退化，一些栖息地遭到毁坏，而另一些栖息地正在产生，某些动植物种类的个体死亡，总的来说有益于它们的种群。然而，洪水有害的生态影响和有益的经济影响都是例外情况。

从生态的观点看，洪水的影响绝对是积极的。1993年洪水被描述为“对许多种植物和动物的恩赐”。河系是动态系统，以地貌、水文和生态的过程和变化为特征。当水流过流域时，土壤变迁，岩石冲刷，河岸侵蚀，泥沙沉积，新的河道形成，栖息地产生或毁坏。每一季，实际上每一天，水循环都在发生变化：新的降雨、蒸发、蒸腾、渗漏和流量演变模式。河系正是以这些动态过程为特征，这些特征比河道断面或洪泛区断面等河系的静态观测值多得多。

流域的流动特征使其生态系统活跃。洪水的价值被生动地比喻为“洪水脉搏”。一年一度的洪水使河道与其洪泛区之间的横向交换成为可能，由于洪水流量和淹没范围不同，每年的这种交换各不相同。国家科学研究委员会的报告《水生生态系统》中认为“河流及其洪泛区……密切相关，必须作为一个完整的生态系统来理解、管理和恢复”。该报告提出应以生态目的组织洪泛区管理，以保护或促进健康河系的以下重要特征：

(1)水流。水流向下游输送养分、泥沙、污染物、有机物，使其不断地混合。

(2)开敞。没有边界限制物质与能量的交换。

(3)动态。在一个较长期的动态平衡中不断变化和扰动。

(4)不规律性。在浅滩和深槽之间产生纵向不规律性，在回水和涡流中产生横向不规律性，以及从河床上下产生垂直向不规律性。

(5)抵抗性和适应性。流水产生的抵抗力形成了适应性及加强了生活在该环境中的生物系。

因而河系的动态和多样性促进了其自然生态系统的动态和多样性。它是浅滩、深槽、沙洲、U 形河曲、岛屿、侧河道、河汊、回水等(它们具有不同的深度、流速和底土层)的特殊混合物，不断形成和改造河道形状和洪泛区断面，刺激生活在其中的各种有机物的生长和繁衍。

虽然国家科学研究委员会报告指出大型水系河流—洪泛区系统与较小流域河流—河岸系统能量交换过程的重要差异，但是一个重要的激励因素是由浅水和缓流的条件产生的。光能穿透浅水从而激活光合作用，利用阳光将无机物转化成植物有机物，并产生副产品氧气。缓流可减小侵蚀，让泥沙、重金属和污染物沉淀，使河道和洪泛区之间的养分逐渐释放和交换，并有利于地下水含水层的补给。湿地植被能有效地转换太阳能，减小岸线侵蚀，稳定河岸，并处理化学和有机废物。

洪泛区的最重要功能是作为陆地和水生生态系统之间的过渡区。从生态循环的环境看，营养成分从洪泛区释放出并且与河流交换；水生植物和无脊椎动物成长，植物成分在洪泛区上腐烂，并被带入河流；在洪泛区低洼处产生的浮游生物，连同底部有机物和水生植物流入河流，鱼群从河流游到洪泛区产卵，长大后游回河流；搁浅的鱼成为鸟类和动物的食物(图 3-5)。

到目前为止，还没有人成功地设计出一种测量洪水生态影响

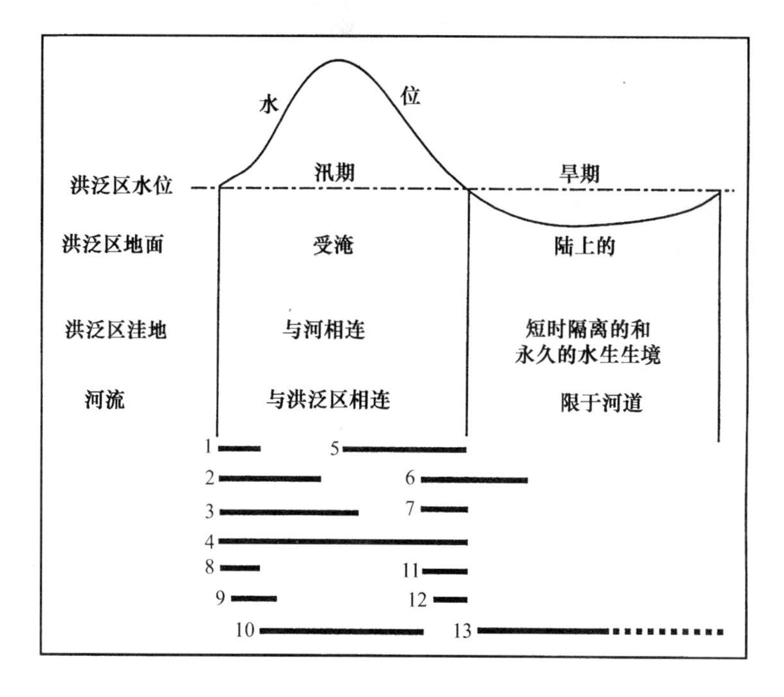

图3-5　大型洪泛区河流年度周期中水位的理想变化

标有数字的水平粗实线表示以下一些主要的相互作用的典型年度周期模式：1.养分在洪泛区表面被淹时释放；2.来自相连河流的养分补充；3.洪泛区水生植物和无脊椎动物的快速增长；4.洪泛区上死亡植物物质分解的主要时期；5.输入河流的有机物；6.洪泛区低洼处的最大浮游生物产量；7.浮游生物、底部有机物和水生植物漂移到河流；8.鱼群从河流进入洪泛区；9.鱼类在洪泛区产卵的主要时期；10.鱼类生长最快的时期；11.鱼群从洪泛区迁移到河流；12.河渠口鱼类对其他脊椎动物的捕食大量减少；13.洪泛区低洼处鱼类搁浅的高死亡率为鸟类和哺乳动物提供了食物。以上模式转载自《进入21世纪的洪泛区管理科学、科学评价和对策研究小组初步报告》；《洪泛区管理机构间检查委员会对跨机构洪泛区特别工作组的报告》。

的方法。生态效益的本质不能用来量化经济影响。经济损失可用市场价值计算，但生态或其组成部分没有市场。于是出现了两个问题：一是难以核定最重要的生态系统效益；二是即使在可测量的情况下，也不可能用金钱来评价。

例如，为评价洪水的生态效益，可测量种群数和种群大小。假如积累了基本数据,就可以计算由给定洪水引起这些参数的变化。有了足够的数据,就可设计一种模型用来模拟特定的洪泛区环境及它们对不同洪水的响应,但好的设计方法可能要求有许多种变量。每个洪泛区环境都有其独一无二的特征,例如,密西西比河上游宽阔的平原和亚美利加河的大落差在自然环境和生态价值方面共同性很小,更不用说洪水泛滥的特征了。

很难想像我们如何能测定洪水泛滥对生态系统真正重要的、长期或深远的影响:过去的洪水如何影响未来的生态系统,或小集水区内漫顶溢流最终会怎样影响整个流域。Howe 和 Cochrane 认为完整的灾难影响评估系统应包括自然资本类,其中下面的分类,可将生态系统的结构和功能以及其他条件的变化与基本数据相比较:

· 物种成分、丰裕度、生长形态和大小;
· 各物种间的掠食关系;
· 生态优势和关键物种;
· 物种多样性;
· 标志性物种和生态指标;
· 受影响区域的大小、形状和不均匀性;
· 物理因素;
· 生产率;
· 营养结构和能量流动;
· 营养关系;
· 分解过程;
· 种群的延续和发展;
· 各物种的特征;
· 扰动事件的特征;
· 其他或可能发生的自然灾害事件的证据;
· 累积影响的证据或可能性;
· 恢复的模式或速率的证据;
· 邻近生态系统或生物体的特征;
· 控制或限制环境因素的证据。

如果这个清单正确地表明了适当评价洪水的生态影响应采取的测量方法,那么与目前的做法大不一样。尽管大多数防洪和洪泛区管理的报告和研究也必须包括生态部分,但也只是敷衍了事。1995年的《洪泛区管理经济评价》的附录中包括一个环境资源清单,大致列出了该地区的自然资源,并描述了1993年洪水对它们的影响。几乎全部400页都是这个清单,只有4页是关于洪水的影响,其中不到一半提供了洪水对环境资源的影响方面的真实信息(尽管只是轶闻)。另一份国家科学研究委员会关于洪水风险管理和亚美利加河流域的报告指出,尽管问题是最近关于流域防洪方案报告大量争议的核心,这些报告却没有明确说明与提出的行动有关的环境影响。该报告以其更广泛的研究结果得出结论:“传统的环境影响报告没有生态系统环境评价洪水风险管理方案,因为它们使用了一个物种取向的体系。这种方法限制了效益。”

事实证明,像陆军工程师团这样的工程组织并没有准备进行生态评估,而且也不愿意这样做。工程师和经济学家们习惯处理数字和经试验证明的方法,而拙于处理通常用于评价生态影响的随机数字和试验性步骤。

如果难以测定这些生态影响,则不可能用金钱来衡量它们。考虑这些度量的一些实例包括:

(1)随可预测洪水波动增大的单位水域的鱼产量,叫做“洪水波动效益”;

(2)依赖湿地的鱼类和贝类占美国渔业捕获量的百分比;

(3)受到威胁和濒危物种数目;

(4)有无迁徙通道和觅食的中途停留地;

(5)植物和动物物种数目;

(6)稀有、濒危或实际灭绝的鱼、龙虾和贝类的百分比;

(7)捕猎、打猎、钓鱼、郊游、慢跑、观鸟、露营、徒步旅行、划独木舟、划皮艇、滑水、乘快艇和帆船的娱乐的天数。

没有一项关于如何确定这些娱乐活动绝对金钱价值的协议。有时,也进行一些调查,询问一个人旅行多远,或他愿为这些“商品”付多少钱。娱乐、运动打猎的天数可以用美元计算和定价。然而谁制定这些价值标准,如何制定?最后幸存的龙虾物种比倒数第10位最后幸存的龙虾价值更贵吗?一个漂流娱乐日比在水库上一个滑水日价值高还是低?为什么?如果生物多样性有价值,且大多数人赞同确实有,也没人能确切说出价值是多少。在何种地理环境中赋予价值:地方、地区、国家甚或全球?例如,在加利福尼亚州亚美利加河上,河岸栖息地具有更高的价值,由于加州仅有不到5%河岸栖息地保留下来。

研究者已经处理并将继续设法解决对环境现象如何标价的问题。Heimlich 和 Langer 为某些湿地功能赋予了每英亩的美元值:弗吉尼亚州潮汐沼泽的废物吸收功能为每英亩6 225美元(1.538美元/m^2);查尔斯河鱼类、野生动物和娱乐为每英亩38美元,佐治亚州 Alcory 河的水质提高为每英亩1 108美元。像这样一些价值可能用途有限。标定价值以供比较可能有用得多。美国农业部为湿地保护计划设计的自然价值统一体排列环境特征,为选择优先特征提供了合理的基础。

King 和其他人最近在可持续流域管理的条件下解决了这个问题。他们对自然资源计算进行了有趣的分析,并对高序和低序的自然资源加以区别。高序自然资源由人们直接开采,如木材和鱼等。低序资源在培育生态过程中起着更重要的作用。然而,他们警告:"对于能源计算目的,定价问题是无法解决的",而且尽管公开希望努力赋予高序资源经济价值,他们也不指望对低序资源这么做。

在克林顿任期的早期,由副总统戈尔所做的国家行为评论中,包括一项对环境管理计划的评论。这篇评论中提出的4条环境方面建议的第一条(或许是最重要的一条)是通过环境费用计算来改善联邦政府的决策。副总统的报告提议美国环境保护署和陆军工程师团创建环境费用计算示范工程,以及随后制定环境费用计算指南,通过一项总统指令在整个联邦政府内实施。

只要洪泛区管理由效益/费用比驱动,就要继续寻找一种将环境价值转换为金钱价值的方法。而且,如第4章所述,法律需要这种方法。经济价值推动该进程。直到设计出一套有条理地记录和量化洪水对生态系统影响的系统,可以用来比较精确地评价经济损失,生态系统才不会受损害。

3.4　其他影响

某些娱乐利益可能受到洪水的负面影响如娱乐设施被毁或暂时无法使用等。其他的娱乐种类依赖于自然环境和(或)动物、鱼类和植物种群的繁茂,而这些又受益于洪水波动的生态培育质量。这些娱乐活动的拥护者可能在制定决策中起重要作用,正如在亚美利加河上,上游漂流者施加的影响成功阻止了美国陆军工程师团 1991 年的提议(第 9 章将详述)。

总之,洪水导致经济损失并产生生态效益。管理洪泛区以减少前者并保护后者。洪水增强生态系统的方式是复杂而深远的,我们尚未找到成功描述和测量它们的方法。洪水造成的经济损失容易描述和测量,但收集数据很困难且费用昂贵。可能这就是我们一直以来不愿这样做的原因。然而,为了公众利益,实现这些目标必须进行洪泛区管理已成为社会的一项共识,但事实上也存在一些争议。

第4章　定义公共利益

4.1　谁管理洪泛区

目前人们期待联邦政府在洪泛区管理中起主导作用,但事实并非总是如此。美国的洪泛区管理最早是由私人创始,农民修建自己的防洪堤,沿河城市加高防洪墙。各州谨慎地保护其管辖权,认为河流工程只有在州际贸易依赖于开放航道的情况下才是联邦政府的权限。虽然防洪假借辅助航运零星地进行,但直到20世纪议会才官方批准防洪工程,并于1936年承认防止所有河流洪泛区的经济损失属于国家公共利益。

虽然洪泛区管理的历史很短但也经历了几种形式。开始是通过修建蓄洪建筑物来防洪,逐渐扩大到包括洪泛区管理、控制和限制洪泛区的使用。防洪工程如坝和防洪堤已通过不蓄洪的非工程措施得到加强,以减少或防止洪灾损失。最近对自然环境的关注产生了防洪可能导致环境破坏的认识。已经认识到河边湿地的重要性并已制定规章加以管理。当前管理洪泛区是为维护经济的和生态的两种公共利益。

4.2　确定联邦政府的利益

在19世纪初,联邦政府还不承认防洪是其正当职责。相反,现在行使的联邦防洪职责当时被认为是违反联邦宪法的。河流上那些辅助航运的工程,被归类为"内部改良"的一项活动仍由州负责。仅在公元1824年最高法院决议后,联邦权利扩大到包括投资建设道路和改造河流时,这些工程才开始使用联邦基金来修建。每次洪水泛滥时议会迫于压力逐渐开始批准含有防洪任务的航运工程。在公元 1849 年和公元 1850 年,密西西比河下游洪水之后通过了“沼泽地法”。这些法令批准土地授权,联邦政府将 26 万 km^2 洪泛区移交给州政府,出售这些土地的财政收入必须用于修防洪堤和排水渠。公元 1874 年洪水导致公元 1879 年成立密西西比河委员会,委员会制订了防洪堤修建计划(在每条授权法规中都明确否认一项防洪功能)。该计划是 Humphreys 和 Abbot 在公元 1871 年“关于密西西比河物理和水力学的报告”中推荐的。这种防洪思想一直延续到 20 世纪。

同时,在毗邻洪水易发地区的农业业主合法地修建了一些防洪堤和排水工程,以保护其庄稼免遭洪水侵袭。在 1900 ~ 1920 年,排干了一半以上的私有土地。

在 20 世纪初,一系列洪水灾害(第 2 章)促使议会采取一些有背景的行动。1907 年匹兹堡和 1913 年俄亥俄河人口稠密地区遭到洪水袭击,1912 年用来保护密西西比河沿岸土地的1.9亿 m^3 的河堤遭破坏。议院防洪委员会于 1916 年成立。1917 年,议会通过了明确用于防洪的首部立法,但仅限于密西西比河下游和萨克拉门托河(加利福尼亚州),并要求用地方收益来支付总费用的 1/3。1927 年,美国陆军工程师团获得授权进行称做“308”的河流流域规划研究,得到收集水文数据的机会和投资,1936 年它已成为国家防洪领导机构。根据胡佛总统的指示,重新划定陆军工程师团管辖区边界,使与河流流域边界线更接近。1928 年,为应对密西西比河洪水,颁布了密西西比河及支流法案,反映出议会思想的一些变化。除防洪堤外,防洪渠、溢洪道和渠首改造首次得到批准,免除了地方利益集团的所有财政负担。增加联邦财政份额的理由更多是由于地方利益集团无法负担费用,而不是明确说明公共利益将增加。

这一阶段的工作为通过国家首部综合防洪法做了准备,并为联邦防洪立法扫清了障碍,联邦投资的必要性得到承认,技术扩大到包括许多工程方案,美国陆军工程师团也取得了官方的领导地位。所需要的是推动力,20 世纪 30 年代初的洪水和国家的经济困难共同提供了这种推动力。

4.3 1936年防洪法

20世纪30年代早期,国家在经济萧条影响之下停滞不前。胡佛总统和罗斯福总统都把防洪工程看做是解决就业问题的措施,陆军工程师团在这些工程中所创造的就业机会比蓄水的价值更高。议会逐渐产生建立综合防洪法的兴趣,为广泛的国家防洪工作奠定基础。罗斯福本人对林业有兴趣,强调流域综合管理的重要性,反对议员为选民争取政治拨款和投资,他赞成成立一个水资源规划的永久性非政治性委员会,并于1933年创立了田纳西流域管理局,对田纳西流域实行多目标水资源规划。1934年,他创立了国家资源局(NRB),要求其制定一项水资源管理综合计划。然而,议会却期望自己的水资源委员会(老的密西西比流域委员会)在未来的防洪计划中起主导作用。立法者宁可将防洪规划和项目选择权保留在陆军工程师团手中,因为它们已从事该项工作许多年了。毫无疑问,它们受国家资源局和总统政治联盟的影响和偏爱单一工程流域管理方法的影响。1935年更大的洪水促使议会采取进一步的行动,提出了100份防洪议案,其中HR8455成为《1936年防洪法》的基础,虽然当年没通过并被大幅度修改。《1936年防洪法》于6月22日由罗斯福总统签发成为法律。

《1936年防洪法》以一项政策性声明开始,不可违背地确立了联邦防洪利益的合法性,重申了“全体的利益”条款的观点:“洪水……对国家利益造成了威胁……防洪是联邦政府的一项正确行为……为了全体的利益。”该项利益的范围定义为美国的可通航河流或支流,被批准的活动是“调查和改善”。该文件宣布了这些活动仅能在以下条件下进行:“假如它们对于任何人所能增加的效益超过估计的费用”,它还详细地说明了通常叫做地方参与的基础知识:当地利益集团将提供土地、地役权和道路权,将保持对联邦政府无害和维护已建成的建筑物。它批准修建200多项特殊的防洪工程。最后,国家资源局对广泛的水资源管理的标准操作程序进行了修改,批准成立农业部水土保持局(SCS),对上游流域进行防洪规划。防洪法的第2部分指出:“今后,为防洪和综合目的进行的河流、航道和其他水道的联邦调查和改造活动必须依法行事，由国防部负责流域的联邦调查和径流调控、土壤侵蚀防治等措施也同样要依法行事，并由农业部负责……”

4.4　出现困难

农业部根本没有行使过1936年立法中明确授给水土保持局的特权，但最后通过1944年防洪法和1954年的流域保护法给了它一部分防洪职能。1954年，水土保持局被批准在“566项工程”中与地方实体共同参与不超过1 000 km^2土地的流域保护和为流域防洪修建小型坝。虽然，水土保持局项目中的投资相对陆军工程师团的防洪活动来说微不足道，但这种对上游流域和河道颇为武断的区别是不合适的。且小流域工程对陆军工程师团防洪理论的某些方面提出了一项选择方案：小坝取代大坝，上游利益优先于下游利益。水土保持局通常被用来作为陆军工程师团的陪衬，陆军工程师团批评了水土保持局计算工程效益的方法。水土保持局计算的工程效益包括了未来和可能的损失，因而其工程效益远远超过陆军工程师团的计算。与陆军工程师团政策最有争议的差异是水土保持局项目完全是用联邦资金修建的。不可避免的是，这些争议不仅在普通公众中，而且在议会的公共工程和农业委员会中，已出现了各自的拥护者。

罗斯福总统设想的综合长远规划方案没有通过。国家资源局在筹划《1936年防洪法》时被议会忽视，当它建议反对签订法案时，总统置之不理。最后在1943年国家资源局被废除。综合水资源规划被联邦政府忽视的时间长达数十年，直到1965年的水资源规划法批准成立水资源联合会，到1982年才由里根总统废除。1965年立法还批准成立了河流流域委员会，但最后建立的6个于1981年自行废除。在1936年立法之后的半个世纪内，防洪政策由100多项水资源法律、几十条行政命令、50多项机构间协议和60多份管理和预算办公室(OMB)公告来推动执行。仅陆军工程师团就在防洪上花费230亿美元，修建400多座水库和修筑16 890 km长防洪堤。防洪法于1938年、1944年、1946年、1948年、1950年、1954年、1955年、1958年和

1960年通过。在1936年之后的50年中,防止了1 500多亿美元的洪水损失,其中1 000亿美元在密西西比河下游。

然而在1936年立法的随后几年里,我们逐渐注意到,在防洪中投入的公共基金越多,经济损失增大越多。一些观察家认为他们知道原因。1937年陆军工程师团的Tyler上将指责洪泛区开发存在水灾问题;1951年Maass批评陆军工程师团迎合特殊利益集团和议会的需求,缺乏真正的水资源规划。一份1955年的出版物指出,在1949年相对枯水的年份,损失比1903年洪水的损失更大。退休准将Dawson为俄亥俄州拟订的一份报告预测洪泛区的持续开发将产生即使再多的工程防护也无法抵御的洪水灾害。

芝加哥大学地理系的Barrons和White先后在罗斯福的新政中起了重要作用。他们严厉批评国家防洪政策。White1945年的博士论文《人类对洪水的调节》于1953年重印,它提出为了使一项防洪计划成功,必须考虑人类对洪泛区的侵犯,包括非工程措施解决方案和全面评价效益与费用。随后,在1958年的一项研究中,White继续研究同样的主题,企图评价17个社区中侵占洪泛区的变化。该研究估计洪泛区开发每年扩大2.7%,且"陆军工程师团违反本意成为全国主要不动产开发机构之一……不可否认,防洪工程确实加速了一些土地使用的变化,使其他变化成为可能"。

在20世纪60年代,受到White和其他人的研究工作的促进,联邦政府采用了一些非工程措施提案,包括规划按专业而不是按工程来制定。1965年,由White领导的跨机构特别工作组提出了一套重要的推荐意见,汇入465号议院文件,成为首项"洪水损失管理的全国统一计划"。该文件立即产生了一项行政命令,指示联邦政府在洪泛区修建新的建筑物之前评价洪水灾害可能性。它最终导致了1968年"国家水灾保险计划"的产生,确保了非工程措施将在未来的美国洪泛区管理政策中起重要作用。1975年成立了一个"联邦跨机构洪泛区管理特别工作组"来协调总统的政策。由相当于今天的国防部、贸易部、能源部、住宅与城市开发部、内务与交通部、环境保护部、联邦应急管理局和田纳西流域管理局等部门组成。在1970~1986年间没有批准新的大型水利工程。

一些观察家指出，虽然总损失随时间增长，但与国民生产总值(GNP)相关的损失没有增加。他们认为，就增加的土地价值和经济产量而言，防洪工程已获得足够的经济效益，因此是合理的。1992 年的一项洪泛区管理经济评价讨论了这种方法并得出结论“(1929 ~ 1983 年)与国民生产总值相关的总洪水损失平均值似乎基本保持不变”。

随着绝对洪水损失的增加，对目前负责防洪的联邦政府施加的压力也越来越大。20 世纪 50 年代制定的减灾法令使责任在一些联邦机构之间分摊，而在首部联邦减灾草案(公元 1874 年通过)之后一个世纪通过的 1974 年减灾法将减灾程序作为一个整体。由 12127 号行政命令创建的一个全新机构——联邦应急管理局负责救灾、国家水灾保险计划、紧急情况管理和其他相关的事务。1988 年该法令修订、扩充，并更名为斯塔福德法(Stafford Act)。

4.5　环境十年

20 世纪 70 年代，联邦政府承担一项新的重大责任——保护环境。1969 年依据国家环境政策法成立了国家环境委员会，并要求所有的机构为联邦决策过程附一份环境损失评价。在其后的 10 年中，出台了一系列严格的保护环境新法，从洪泛区管理的角度看，其中最重要的是《清洁水法》，尤其是《联邦污染控制法 1972 年修正案》的 404 条款。《清洁水法》规定：“可用于鱼类、贝类和野生生物保护和繁殖的水质”是国家的目标，404 条款则要求陆军工程师团为“在通航水域的指定堆放场倾倒废弃物”发放许可，声明在被确定为“这类物质将对市政供水、贝类河床和渔业区(包括产卵和繁殖区)、野生生物和娱乐区产生不可接受的负面影响”的地方可禁止设堆放场。对水生生态系统的保护成为国家的重点。

1973 年，水资源委员会采取了一套“水和相关土地资源规划的原则和标准”(P&S)，要求所有联邦行动在四项利益的前提下进行评价：国家经济发展、环境质量、地区发展和社会安定。1974 年法案也要求考虑水资源项目的非工程措施解决方案，并特别批准了在三项工程中征用易发洪水土地。

在20世纪70年代的环境十年中产生的从经济效益出发畅通无阻地迈向洪泛区管理的幻想没有实现。水资源委员会和河流流域委员会撤销后,1983年颁布了“水及相关土地资源的经济和环境原则和指南”(P&G),它代替老的“原则和标准”。虽然言辞上要求计划“与国家环境保护相一致”,但这些计划最终都不得不根据其对国家经济发展的贡献来选择。

联邦洪泛区管理活动的责任已超越陆军工程师团的权限。“洪泛区管理国家统一计划”于1965年首次发布,1976年修订,1979年和1986年重新修订,1986年通过的水资源开发将国家水灾保险计划的权利扩充到所有联邦投资的地方防洪工程,并增大了水资源工程的地方费用份额。

20世纪90年代初,许多新的机构和工程措施同陆军工程师团及老的坝和堤防竞争,但各级政府、联邦政府各机构和在洪泛区管理中各外部利益集团之间的冲突和责任分配不均问题远未解决。1993年密西西比河上游的大洪水促进了几项立法行动:加强国家水灾保险计划,将农业减灾与产量保险计划结合,创建一项紧急情况湿地保护计划。1992年联邦管理局出版的“洪泛区管理经济评价”、几份联邦政府跨机构洪泛区管理特别工作组的洪水后文件、一份陆军工程师团对密西西比河上游洪泛区管理的评价和国家科学研究委员会对加利福尼亚州萨克拉门托的亚美利加河上游防洪规划的分析都企图弄懂今天在国家洪泛区管理中起作用的各项计划。这许多计划、执行实体和政策文件表明防洪已超出了最初只由单一目标推动的范围。

第 5 章　政府及其作用

直到进入 20 世纪,州的权利才不影响联邦在防洪中所起的作用。但当联邦的作用加强时,州的作用就相应地减弱了。作为联邦工程的合作者,地方政府比州政府起到更大的作用,但它们没能扮演政府希望它们扮演的另一个角色:洪泛区管理的执行者。大多数流域是跨州的。流域管理通常需要比单个州更大的管辖权,但很少将流域作为一个整体来规划和管理。防洪工程的影响相对地方化,效益明确,然而它们大部分施工费用却分摊于整个国家。洪泛区管理由地方政府管辖,而实施工程失败的后果由负责救灾的联邦政府承担。驱动洪泛区管理惟一真正的国家利益是生态保护。

理论上,政府解决一个特别的公共问题的水平取决于其决策能力及其税金基数。我们的洪泛区管理计划实际上不符合该准则。联邦政府的主要作用是修建产生地方效益的工程和对地方受害者分发救灾款。联邦防洪计划试图通过在规划期间进行磋商来使地方既获得利益又不使环境受到大的影响。国家水灾保险计划是联邦政府迫使地方政府牺牲其自身利益来保护联邦财政收益的一项尝试。专门用于生态改良的投资很少。

联邦洪泛区管理计划的目的不仅是防止河流沿岸的财产损失,同时还要保护依赖洪泛区生存的自然生态系统。修建大坝和堤防是为了防洪,但它们却使自然生态系统受到影响。限制在洪泛区修建新建筑物的计划能减少经济损失,而不增加环境损失。水灾灾民由政府援助计划赔偿。洪泛区征用计划不仅要保护和恢复洪泛区生态系统,而且保证杜绝经济破坏。联邦政府在执行洪泛区管理计划中起重要作用,但在使其完全生效过程中常常依靠州和地方的协助。地方管理洪泛区的职能一直是决定其他方面的关键性因素。

5.1 联邦的作用

设计管理洪泛区活动的联邦程序可分为4类:

(1)工程计划。防止洪水影响洪泛区开发以减少和避免经济损失。这是一些防洪工程,如堤防和水库,主要由美国陆军工程师团修建。

(2)非工程计划。防止在洪泛区进行新的易受破坏的开发,减小已有开发遭破坏的可能性,减少和避免经济损失。它们是国家水灾保险计划的规章和防洪要求,如联邦应急管理局的洪泛区收买计划、国家气象局和美国陆军工程师团的预警计划和报警计划。

(3)赔偿水灾灾民经济损失的援助计划。它们是由联邦应急管理局和美国农业部管理的救灾和补助保险计划。

(4)保护和恢复自然洪泛区的生态系统保护计划。鱼类和野生生物部(FWS)的征用计划,在某种程度上,陆军工程师团和农业部实施的一些计划也促成该目的。

5.2 工程计划

陆军工程师团是修建大坝和堤防的领导机构,成立于公元1802年,专门设计和修建防洪工程。在19世纪,陆军的这批工程专家被委派修建航运和防洪工程。1927年,议会授权进行"308"流域规划研究,扩大和加强了其水文能力,使其成为在1936年发起的国家防洪计划中的联邦领导机构。除了实施大型防洪工程,陆军工程师团还对加固和维修防洪工程、航道改变、岸线保护、抗洪抢险、紧急情况处理和洪泛区信息研究负有长期的责任。

完成一项陆军工程师团的防洪工程的过程是漫长而谨慎的。它通常在地方政府的请求下发起,首先以勘测研究开始,然后为细致的可行性研究作经济评估,准备一份环境影响报告,征求公众意见和征集地方资助者。最后选定的工程在真正施工前必须得到国会批准。

国家资源保护部(NRCS,其前身为农业部水土保持局)在其小流域或“566”计划下修建了约 3 000 座坝,并声称至 1977 年,它已“介入”250 多万次蓄水,包括田间蓄水塘。垦务局建了一些防洪工程,其与水有关的管理只限于西部 17 个州。田纳西流域管理局也建了一些防洪工程,仅限于在田纳西州和密西西比河上运行。

5.3　非工程计划

1968 年通过国会立法,使国家水灾保险计划成为遏制进一步侵占洪泛区的联邦提案的关键。当前国家水灾保险计划由联邦应急管理局管理,促使那些本身已加入该计划的地方社区的财产所有者获得联邦的洪水保险补助。虽然国家水灾保险计划对地方社区或它们的管理职能都没有管辖权,但它要求社区在其居民能够购买洪水保险前采取某些避免损失的行动。要求共同参保的社区制定规章,防止在洪泛区新建建筑物,减少对已开发洪泛区的破坏。建筑标准、批准程序、细分和分区规章、防洪和高度要求都是社区防止和减少由国家水灾保险计划确定的洪水风险区损失的管理措施。国家水灾保险计划建立了一套社区等级制度,奖励那些采取比所要求更严格的洪泛区管理的社区。在大部分参保社区,通过了一项由国家水灾保险计划出资的最近 25 年进行的广泛测绘计划。至 1995 年中,18 203 个社区已参与保险计划,30 亿张保单生效。

国家水灾保险计划的第二个推动力是通过购买保险将占用洪泛区的费用转嫁到财产所有者身上,最终将联邦救灾费用减少到对该计划投资的补助数目。然而,该计划的参保率一直很低。国家水灾保险计划估计洪水风险区仅有 25% 的财产买了保单(来自国家水灾保险计划管理者的个人信息,1995 年 9 月 14 日)。惟一的强制性机制是通过联邦借贷机构,该机构预定要求洪水保险作为洪水风险区财产贷款的前提。银行存款和贷款常常忽视了这个要求,甚至当它们最初执行时,洪泛区财产所有者可以不买保单,而以后又不受处罚。1993 年洪水之后通过的国家水灾保险计划修订法案,列出了加强借贷者应遵守的附件(条目 B),规定了因良好的洪泛区管理而对社区进行奖赏的社区等级制度(条目 C),提出了缓解洪水风险的一些要求(条目 D),以及建立跨机构特别工作组使借贷者遵守协议,确保洪泛区自然和有益的功能(条目 E)。

自 1988 年以来,联邦应急管理局已经分配一部分救灾基金来购买和搬迁洪泛区受损财产。联邦应急管理局授权立法 404 条款(斯塔福德法案),准许该机构支付减灾费用的 50%,将授予的补助金的 10%用于该目的。而在 1993 年洪水之后,国会将这两个百分比分别增至 75%和 15%,允许联邦机构最终投资 2 亿美元以上,从中西部洪泛区迁移 8 251 座受损的建筑物。

5.4 救　灾

在总统宣布受灾的县中,联邦应急管理局通过两个计划协调大多数非农业的直接救灾。公共援助计划对地方政府提供补助金以补偿对公用设施和基础设施的损坏;个人与家庭援助计划对水灾灾民提供直接援助,包括临时住房、财产损失赔偿和提供建议。1965 ~ 1988 年,在 508 次总统宣布的灾难中,联邦应急管理局发放了 50 多亿美元的救灾款,在 1989 ~ 1993 年 205 次灾难中联邦应急管理局发放救灾款 276 亿美元。

农业部通过由商品信用公司出资的两项单独的但有时重叠的计划(作物保险计划和农业灾害援助),对作物损失提供直接赔偿。作物保险计划于 1938 年制定,并于 1980 年成为一项主要援助计划。最初作物保险主要是小麦,后来包括棉花,1948 年扩大到包括高粱、大麦、玉米和大米。至 1980 年计入保险计划的作物有 30 种,至 1991 年,有 51 种作物在保险计划之列。1990 年该计划参与者为 40%,从那以后就减少了。该计划得到了大量的补助,据估计,1985 ~ 1993 年该计划花费了政府近 100 亿美元。同一时期另有 90 亿美元救灾款直接付给了农场,但更多是用于抗旱而不是防洪。1987 年、1988 年、1989 年和 1993 年有单独的救灾法案,1986 年、1991 年、1992 年的救灾拨款包括在其他的法案中。

自从 1994 年农作物保险修订法通过后,作为接受救灾援助的前提条件,需要一个最低限度的农作物保险总额。这一部分保险总额没有保险费,但参保的农民必须每年每种农作物支付 50 美元管理费。根据农业部作物保险计划手册,对于平均作物产量的 50%,该保险总额保证付给农民预期市场收益的 60%。由于农作物保险费不具有“紧急”地位,修订法案使得国会更难拨出农业灾害基金款。救灾法不能免除议会为控制赤字而使用的“量入为出”的限制。

5.5　生态保护

保护洪泛区生态系统免受防洪工程计划的破坏,最重要的联邦计划是由渔业和野生生物部实施的鱼类和野生生物生态环境征用计划。“Pittman - Roberson”计划恢复野生生物生态环境,“Dingall - Johnson”计划恢复旅游钓鱼,两个计划提供工程总费用的 75%。“野生生物合作者”是一项渔业与野生生物部的计划,为土地所有者提供拨款以恢复湿地以及河岸栖息地。由其他机构实施的几项湿地保护计划,如陆军工程师团的 404 号批准计划和 1985 年洪水安全法有关沼泽的条款。农业部的水银行计划、内务部的濒危物种计划、天然和风景优美河流法及岸区管理属于可能增进洪泛区生态系统的其他联邦行为。

农业部实施两项既消除洪泛区农业损失又增加已退化的原先湿地的生态价值的全部收买计划:湿地保护计划(WRP)和紧急湿地保护计划(EWRP)。尽管湿地保护计划可以包括高地和洪泛区湿地,但紧急湿地保护计划仅仅应用于那些受到洪水泛滥严重损害且修复农田及相关堤防经济上不合算的农业用地。两项计划购买先前湿地开垦的庄稼地的土地使用权,使其恢复到初始状态。两个计划都不会产生重大的影响。湿地保护计划于 1990 年批准,目的是恢复 4 000km^2 的土地,但仅恢复了 158 km^2,而 1993 年秋季批准的紧急湿地保护计划批准了 232 km^2 湿地恢复的申请。

5.6　洪泛区管理的价格

到目前为止,洪泛区管理的主要费用是用于修建防洪工程和救灾。关于联邦防洪费用的数字并不比洪泛区管理的任何其他方面的数据更可靠。联邦应急管理局在其1992年洪泛区管理中所能提供的最可靠的数字是原水资源委员会的估计:1936~1975年在防洪工程上花费超过130亿美元。一个更新的数字是1986年由Bory Steinberg提供的,他说,迄今为止陆军工程师团在防洪工程中已投资230亿美元。联邦应急管理局的评价也估计自1982年以来,陆军工程师团防洪费用相对稳定在每年11亿美元。

以上提到的联邦应急管理局和《Galloway报告》中的数字都不包括大量的农业补助。它们包括灾难援助款,但不包括洪灾,因而数字很小。我们只知道在过去5年内每年在城市救灾上花费55亿美元,可能在农业救灾上也花费同样的数目。因而,救灾费用大大超过了用于工程上的平均每年11亿美元(图5-1)。斯塔福德法案将花在缓解"全部买下"工程的费用限制到不超过特殊灾害法中分配给联邦应急管理局的所有资金的15%,且持续可获得的缓解基金少得多。

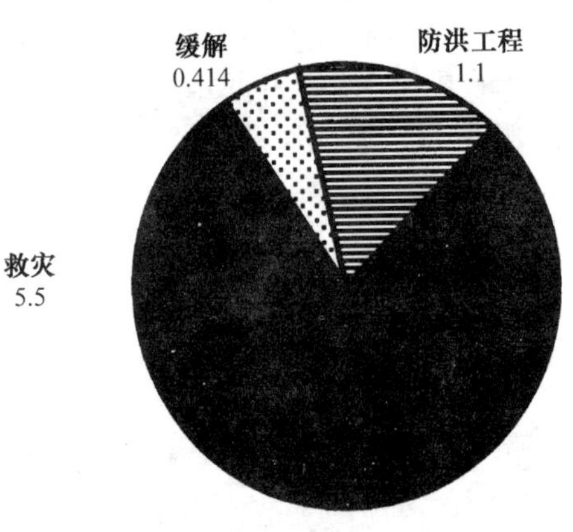

图5-1 自然灾害平均年救灾费用(单位:10亿美元)

救灾:《Galloway报告》(共同应对挑战,1994年)估计,从1989年财政年度到1993年财政年度的救灾费用为276亿美元。防洪工程:联邦应急管理局评价(约翰逊,1992年)报道,自1982年以来,陆军工程师团防洪工程的年费用稳定在大约11亿美元;缓解:环境工作组(1994年)估计半数以上的救灾款用于农业方面。估计每年4.14亿美元是联邦应急管理局所有费用的15%,占救灾费用的一半。

实际上,联邦政府援助费用可能超过了实际损失。例如,1993

年,当时陆军工程师团的初步损失数据认为总损失不超过 60 亿美元(见第 3 章),而主要的减灾法 PL103 - 75 拨款 57 亿美元用于 1993 年 8 月减灾,其后的钱数无法确定。《SAST 报告》估计单独用于农业损失的联邦费用,即 PL103 - 75 拨款的 25 亿美元。在 1994 年 6 月达到 54 亿美元,现在“仍在增长”。

5.7　谁支付费用

联邦政府在实施防洪工程中要求地方政府给予财政协助有两个原因:第一,使总费用减少;第二,在大部分利益归地方业主的情况下,维护部分的公平。当然,私人堤防区联邦政府不予资助。1917 年,防洪法要求地方利益集团支付三分之一的费用,但由于他们无力支付,1927 年国会减轻了密西西比河下游地方政府的财政责任。1936 年防洪法案中最有争议的条款之一就是费用分担问题,最后在所谓的 ABC 条款中予以解决。Arnold 报告,1938 年立法解除了水库工程的地方费用分担责任,从而联邦政府可以自行开发水电工程。

费用分担经长时间反复得以通过。Rubin 报道,1917 ~ 1936 年防洪工程的平均地方费用分担份额为 14%。Rubin 还指出同期联邦政府平均为农村防洪工程付出 93%。同样,联邦政府费用分担份额在各机构间不同。垦务局支付费用的 100%,水土保持局支付费用的 81%,陆军工程师团支付费用的 95%。1986 年水资源开发法将地方财政责任扩大到 25% ~ 50%。《Galloway 报告》指出,1993 年洪水后联邦应急管理局在减灾和灾难援助计划中已将 25%的费用份额要求减至 10%,并强烈要求在所有联邦应急管理局计划中都维持 25/75(地方/联邦)的比例。事实是,在 1993 年洪水之后,其他联邦机构如住宅和城市开发部有时也承担了地方政府应支付的份额。不论达成什么费用分担协议,地方政府总是资金短缺,而且常常成功地逃避投资。

5.8　州的作用

在洪泛区管理中州常常起到必要但非常不充分的作用。它们补充联邦计划,有时用教育、信息、技术协作、区域和流域规划,有时用拨款来帮助地方计划。州在联邦计划中起的作用根据各州承担的义务、资源和洪水特点而不同。

在州的洪泛区管理计划方面,所拥有的最可靠的数据资源来自由州洪泛区管理协会执行的州和地方计划的3年的调查资料。据1992年调查,32个州修建或参与了防洪工程的修建,28个州为防洪工程提供全部或部分资金,23个州进行新坝修筑的管理,仅有7个州和地区没有大坝检查计划,19个州进行堤防施工的管理。

调查数据显示,所有州管理了本州的洪泛区开发,而其中许多州从这些管理中免除了重要的经济活动。州参加各种活动,通过执行国家水灾保险计划管理要求来支持地方政府,而且许多州甚至执行实际上比联邦要求更严格的洪泛区规章和建筑标准。大多数州提供关于抗洪和紧急情况准备的信息,有些州使用洪水警报系统。一些州对易发洪水地区业主提供税务优惠而使其不开发土地。

虽然大多数救灾款由联邦政府提供,调查表明大多数州鼓励业主购买洪水保险,几乎所有州提供洪水紧急情况援助,成为联邦灾难援助的非联邦份额,并对地方社区提供灾后恢复的援助。据调查,总共有22个州最近参与了多目标管理活动,43个州以某种方式管理湿地。许多州参与诸如岸区管理、自然景区与风景优美的河流保护,以及受威胁物种和濒危物种保护等联邦计划。

州在洪泛区管理中的作用是多方面的。然而即使是强调需要解决政府间作用混乱的问题的《Galloway 报告》,似乎也依赖州在流域管理中发挥的作用。《特别 Galloway 倡议》提出:州应该管理陆军工程师团管辖范围以外的堤防;州应该积极鼓励购买洪水保险;州应该承担一定的地方费用份额;州洪泛区管理官员应鼓励学校将自然灾害教育纳入教学课程;州应在所有洪泛区管理活动中承担更多的职责。

正如可预料的,在洪泛区管理机构职员的心目中,洪泛区管理中州的利益是最重要的。1983年 Burby 和 Kaiser 对所有50个州政府的调查表明,当时 96%的机构人员认为洪水是一个严重问题,在州立法人员中仅有 40%的人员认同这一看法。然而,一项相关的调查表明,州比地方政府更优先考虑洪水问题。在 956 个例子中,仅有 17%的地方政府官员将洪水列为严重问题。

5.9　地方的作用

尽管地方社区有时修建小型防洪和暴雨雨水管理工程,并通常尽其所能提供灾后援助,但它们在洪泛区管理中的主要作用是对这些工程运用进行管理。实际上,地方社区是具有管理洪泛区开发主要职权的政府部门。联邦政府制定激励机制,州政府对地方洪泛区管理者提供鼓励、技术支持和培训。县政府通常提供财产税减免,作为对水灾损失的补偿或不开发的鼓励;要求地方利益集团分担许多联邦计划费用。然而,州或甚至其他联邦机构为地方费用分担提供资金并不罕见。

洪泛区管理最初是私人财产所有者的任务,目前已发展成为联邦政府重要的和几乎是专有的责任。洪泛区管理现在作为一项政府间的责任来谈论,但投资者和受益者、规划者和投资的利益集团之间没有很好地配合。联邦的提议需要机构间高度合作,州和地方不作出重大努力就无法实现联邦计划的目标。目前,美国仍在寻找更好的方式来达到目标,且拥有各种各样的洪泛区管理计划。50 年来,美国在使用防洪工程抗御洪水上倾注了大量财力和物力,并且拥有各种洪泛区管理计划,然而,这些计划目前仍依赖于陆军工程师团的堤防和水库工程。就其所能解决的所有问题而言,工程方案导致了其自身需要解决的新问题。

第6章　洪泛区管理的不利影响

6.1　存在的问题

在19世纪和20世纪,洪泛区管理的全部内容就是新建防洪设施。洪泛区管理始于洪泛区的开发,终于加高堤防。后来,为防下游受灾,在河流上游修建水库拦蓄洪水。通常要对河道进行清淤、扩宽和挖深,并开挖新的河道,以宣泄更大的洪水。

这些防洪措施本身也会产生其他问题。首先,洪泛区的防洪堤危及和损害了依赖上游并与河道有重要联系的脆弱生态系统。其次,防洪堤加剧了对洪泛区的进一步开发,这样,在遭遇特大洪水时,洪泛区的受灾损失就更大。如今,必须设法纠正和弥补由这些防洪工程对洪泛区造成的新的损失。

6.2　防洪的经济影响

防洪工程的积极影响及其效益就是防止和减少洪灾的损失。计算任何工程的效益时,必须考虑到工程未建时的潜在危害。如第4章所述,联邦法律要求论证防洪措施的效益费用比(B/C)大于1,也就是说,每年的预期效益要大于工程投资。投资大部分由联邦政府提供,而收益则往往归于土地所有者。

防洪设计中的典型效益计算,至少要首先明确两种损失:财产损失和农业收入损失,这些是可通过特定的防洪标准加以避免的。发生洪水的河段在水文上用流量频率曲线表示,它揭示了不同洪峰出现的概率。这种关系的建立需要长期的历史资料,但有时也通过与其他流域的对比分析,甚至从降雨径流的评估得出。流量的大小是计算水位的基础,同时还要考虑河槽泄量和河床糙率等因素。计算水位又是决定洪量及洪灾损失的基础。该洪水位出现的频率表明同等规模洪水出现的频率。在流量频率曲线上(例如100年一遇的洪水),可表示出某一洪峰流量和将洪泛区淹没到一定深度的水量。按防御100年一遇洪水所建堤防的效益,等同于没有修建堤防情况下,100年一遇或100年一遇以下的洪水对低于堤防高程的家庭和建筑所造成的破坏的损失值。

假若无人居住,整个洪泛区通常会种植农作物,工程的效益就等同于当不同频率峰值流量(由流量—频率曲线上定义的)的洪水摧毁农作物时农场主所遭受的损失。实际农业效益用一个公式计算,某一特定地区任何典型农作物的产量以美元/英亩为单位表示,并以此确定堤防内土地的产值。然后算出堤防设计寿命期内的年均值,便于与投资进行比较。成本可简单以施工预算为准。分年计算未来值时要选择会影响最终结果的贴现率。

因此,防洪工程效益费用比的计算大致上包括下列步骤:

· 收集各种流量洪水频率的历史资料;

· 绘制河段的流量频率曲线;

· 确定水位—流量关系;

· 划定特定河段的洪泛区范围,以确定与设计频率或较小洪水有关的不同水位的受淹区;

· 计算特定水位下洪灾的损失;

· 分年折算30年的损失,即效益;

· 估算建设费用;

· 选择贴现率并分年折算30年的建设投资,即费用;

· 分年折算效益除以分年折算费用,得到效益费用比。

如果效益费用比大于1.0,则效益超过成本,该工程适合于公共基金进行投资。

为理解和预测流域的水文和水力特性,需采取一定的分析模式。不同的机构应用不同的模式,即使是在美国陆军工程师团管理区内,采用的模式也并不完全相同。虽然一种称为HEC－2的模式在过去用得多,那也只是一种“静态的、一维的,运用起来并不灵活”的模式。它无法计算堤防溃口和蓄水效益的问题,在最近的研究中被 UNET 的一种“非静态流”模式所取代。

损失评估,特别是财产损失评估很快就过时了。防洪工程的建设通常使得防护区得到新的、更有价值的开发。由于防洪工程的保护,修建堤防后,洪泛区的人口大大增加,经济迅速发展,使堤防保护区内发生洪灾时损失加大。所以效益费用比计算的一个问题是,未来效益是否需要计算在内。水土保持局由于在工程规划中将其小流域治理工程(第 4 章)所带来的土地增值及其潜在效益计算到效益费用比中而受到批评。如果这些工程能保证防止一切水灾,而且能够精确预测将来效益的话,在计算工程效益时,可以考虑这种计算法。然而,情况往往相反。

修建防洪工程后,当发生的洪水规模等于或小于设计洪水时,洪泛区的发展可以增加这些防洪工程的效益,但遭遇更大洪水时,堤防漫顶所造成的损失远大于未设防时的损失。即使防洪工程运行正常,仍会有残余损失发生。效益费用比要求每一项防洪工程确保按一定的保护标准设计,这种标准由它所要减少的灾害损失决定。如果 50 年一遇的防洪标准对于农业洪泛区和住宅发展是经济合算的话,那么 100 年乃至 500 年一遇的防洪标准从目前的受灾损失来看是不合算的。因此,在更大洪水时这些财产是预计要被洪水淹没的。堤防漫顶不能算是事故,它很可能仍然按照设计标准准确运行。设计中并不考虑沙袋及其他防汛抢险措施,从工程观点看,这样做曲解了堤防的正常功能,经常这样做弊大于利。

防洪工程只能减少但决不能消除所有水灾风险。但是,一旦工程建成,公众认为(至少应该是)所有的风险都已排除。在宾夕法尼亚州的约翰斯敦,陆军工程师团管理区工程师在 1943 年防洪工程竣工时宣告“约翰斯敦再也不会遭受洪灾”,但 1977 年的特大洪水使这一宣告破灭。同样,作为密西西比河流域上游水利工程的规划文件,由该机构依据《1954 年防洪法》制订的《Guttenberg 报告》保证,所批准的工程项目一旦竣工,将基本上消除岩岛工程师团管理区内密西西比河流域的洪灾。然而,岩岛管理区 1993 年的洪灾报告记录了 1965 年、1969 年和 1972 年的洪灾,并指出“密西西比河的洪水对该区财产造成了毁灭性的损害,所造成的公私财产损失之大为美国历史之最”。建造那些工程的工程师们和提供资金的政客们从不提这些弊端,所以公众相信所有风险已排除也就不足为奇了。堤防的防洪价值随着新开发项目的增加而增加,而洪灾又会将这些新开发项目毁于一旦。所以防洪工程真实的经济影响,比其实际的建造成本要大得多。这包括后来那些受防洪工程保护所进行新开发项目的受灾损失。

防洪工程有另一经济成本。因为河流属于连续的系统,对河流流量的控制必然会影响到其他地方。设计防洪工程是为了控制水流。堤防的水力效应将提高其他河段的洪峰流量。建水库防止了下游的水患,却增加了上游的泛滥。1995 年,陆军工程师团在洪泛区管理评估中,计算出将密西西比河上中游的农用堤防加高到防止 1993 年洪水漫顶的高度,会使密西西比河中游的洪水位提高约1.8 m。

6.3　防洪的生态影响

防洪工程改变水系,破坏河流的自然生态系统。设计这些工程的目的可能是为了防洪、供水、航运、水力发电、游览观光,或考虑到了所有的这些功能。

国家科学研究委员会关于《水生生态系统》的报告提供了一张由 Karr 等人制作的表(1986 年),将影响水生生物的环境因素划分为 5 类,这些水生生物受人为活动的侵害。

(1)能源:进入河流的固体物质在大小、类型和数量上受到影响,季节变动模式也被打破。

(2)水质:温度、混浊度、溶解氧、营养物、有机化合物和无机化合物、重金属、有毒物质和 pH 值将发生变化。

(3)生态环境质量:地层类型、水深、流速、水生生物产卵、孵化地和躲藏地,以及生态环境的多样性都会受到影响。

(4)流态:水量和高低流量的分布被破坏。

(5)生物的交互作用:竞争平衡、捕食、疾病和寄生物感染受到扰动。

防洪工程严重地改变了河道状况。自由流动的水域被转化为一系列的航运河道,或由于河道裁弯取直、渠道化、河道清障或改道而使流速增大。地貌的变化则表现为岸坡侵蚀、河床冲刷,以及河岸土壤的稳定性受到破坏。第9章提到的美利坚河上游峡谷就是一个很好的例子。

水库永久地淹没了上游几百万英亩的土地,毁坏了整个生态系统,对下游的影响表现为:妨碍了水生生物的迁徙,破坏了自然泥沙沉积速率。随着三角洲和沙滩的沉陷,渔业也受到了损害。密西西比河和尼罗河上所建的大坝破坏了其归流海域(墨西哥湾和地中海),影响了占重要地位的渔业。

挡水建筑物减轻了洪泛区每年的洪灾,然而,正如第3章所述,在河道与河流上游之间设置的这道障碍却对沿岸生态系统的总体平衡造成了严重损害,这也正是设计防洪工程时要特别考虑的。防洪工程阻止洪水进入洪泛区,而生态系统却需要其存在。

人们难以知道到底破坏了多少沿岸生态环境。国家科学研究委员会的报告列出了河道渠化造成生态环境改变或失去自然河岸生态环境的几项评估结果,其范围在6%~70%之间。虽然认识到防洪工程改变了以往利用洪泛区的方式,但却并不知道已失去了多少,也不能确定不得不失去多少。很多洪泛区管理的生态参数不能量化,这是原因之一。州洪泛区管理者协会完成的调查要求对各州洪泛区资源状况作出评价。在1995年的调查中,大家一致认为在水生生态环境、河岸及游览观光方面还“维护得不错”,但河岸生态环境、露天场所及内陆湿地资源等“正在减少”。

因为没有办法进行可靠的预测,更不可能量化将来防洪工程对生态环境的种种破坏,因此,这对效益费用比的计算没有影响。根据第3章所阐述的理由,对实际的生态破坏进行量化都已十分困难,几乎不可能对其进行货币化。对脆弱生态系统长期的破坏情况进行预测更加困难。例如,在亚美利加河流域,没有文件记载洪水泛滥对内陆地区灌木群落、萨氏松和栎树林群落的影响,对拟定工程的生态影响进行评估没有科学依据,用金钱来衡量它是没有意义的。

防洪工程的影响远不只是其对周围环境的直接影响。我们必须知道工程的长期生态影响,并明确当沿岸地区不可避免要进行新的经济开发、建设新的基础设施和发生一系列变化时,是否有一项特定的工程对其造成的生态破坏负责。人们需要更多地了解防洪工程对沿岸地区或洪泛区的环境影响。

了解这些影响有一定的意义,而对其进行货币化则无任何意义。但是,只要仍然依赖效益费用比来决定工程是否可行,对其进行货币化的努力还会继续。已经建立的洪泛区和水系评估体系,在效益费用比中能计算出 100 美元的财产损失或1 000美元的农作物损失,却无法对难以恢复原状的生态系统破坏作出计算。人们能做的就是计算纯经济意义上的效益费用比,对生态的影响只能进行描述和判断。在项目规划的过程中既没有体现出这一要求,也没有对有实力的评估机构授权。

对防洪工程规划起刺激作用的效益费用比在两个重要方面存在着严重的缺陷。工程建设所直接造成的残余损失及其相当大的生态破坏,并未计入项目成本。即使是第 8 章中所讲述的现值效益的计算,也有很多不确定性。但是,这些损失的发生周而复始。毫无疑问,防洪工程的残余损失效应促使,甚至导致了持续扩大的成本和灾害损失,这在洪泛区管理规划中会经常遇到。生态破坏已经十分严重了,然而直到 20 世纪 70 年代才开始制定相应的政策。不过,在过去的 30 年中,美国的防洪政策作了修改,更加重视非工程措施,努力纠正这两个问题。

第7章 洪泛区管理原理

7.1 观念的转变

在实施洪泛区的综合管理之前,人们对此进行了长时间的思考和讨论。在过去的一个半世纪,美国主要关心的是修建堤防,拒洪水于洪泛区之外。但是早在19世纪,Charles Ellet Jr(1852年)在递交给国会的报告中就指出:"密西西比河的洪水暴发频率越来越高,各地警报四起,这首先是因为耕地的扩大,其次是由于堤防的扩建……"19世纪60年代Humphreys和Abbot提出了更流行的单一堤防建设观点,取代了Ellet和其他人的观点。但一个世纪以后,不同意见的呼声越来越高,这使得政府开始考虑一整套管理方法,它不仅包括防洪工程措施,还包括"非工程"防洪技术,如限制洪泛区的开发。洪泛区管理政策的最终目标拓展为,既要考虑经济损失,又要考虑生态保护。

在洪泛区防洪管理的变革中,美国回答了如下3个问题,实现了这一转变:

(1)为什么要管理洪泛区?

(2)谁负责管理洪泛区?

(3)如何来管理洪泛区?

因为发生了一些大洪水(表7-1和图7-1),洪泛区管理政策逐渐得到了改进。1993年密西西比河上游流域发生的特大洪水使国家对洪泛区管理政策有了一个新的重要认识:《共同应对挑战:21世纪的洪泛区管理(1994)》,《洪泛区管理特别任务的官方报告》(《Galloway报告》)和《21世纪洪泛区的管理科学》,以及1995年改进后递交给国会的《国家洪泛区管理统一规划》。这些文件很好地

表 7-1　　国家洪泛区管理政策制定的过程

公元 1849 ~ 1850 年	《沼泽地法案》授权各州政府在洪泛区内修建排灌设施和开荒耕种
公元 1852 年	Charles Ellet Jr 的报告批评了开发洪泛区所造成的洪灾，建议修建水库
公元 1861 年	一份由 Humphreys 和 Abbot 提出的关于密西西比河物理和水力特性的报告指出修建堤防是惟一有效的防洪措施
公元 1874 年	国会批准第一个防洪“减灾”建议书
公元 1879 年	密西西比河流域委员会成立，专门从事堤防兴建
1917 年	《1917 年的联邦防洪法》提出，对密西西比河和萨克拉门托河上的防洪工程进行投资，并要求地方负担建设成本的三分之一
1927 年	《河流与港口法案》批准陆军工程师团开展“308”个流域的综合勘测
1928 年	密西西比河的防洪工程（首次）超出了堤防的概念，包括分洪渠、溢洪道和渠道整治，地方不参与这部分投资
1936 年	《1936 年防洪法》建立了国家是防洪主体的机制，明确了地方的各项义务；要求工程的效益费用比大于 1，审批了 200 多项工程，指定陆军工程师团负责防洪工作，后来，修改为美国农业部（USDA）也参与防洪工作
1938 年	《1938 年防洪法》不再要求地方分担水库的建设费用，以便于联邦政府能继续实施对水电工程的控制和管理；第一次授权陆军工程师团从洪泛区外迁和安置移民
1944 年	《1944 年防洪法》批准农业部负责 11 个流域的防洪工作
1954 年	《1954 年流域保护及防洪法》批准美国农业部实施“小流域治理规划”
1965 年	《1965 年水资源规划法》（PL89 - 80）建立了水资源委员会
1966 年	制定联邦防洪政策的预算局特别工作组建议制定“国家统一洪灾损失规划”（议院 465 号文件），这包括减少损失的水灾保险
1966 年	《11296 号行政令》指导联邦机构在洪泛区新建筑物选址前，对其潜在的洪水风险情况进行评估
1968 年	通过了《国家水灾保险法》
1973 年	水资源委员会正式通过《水和相关土地资源规划的规则和标准》，要求要考虑到地方、环境和社会各方面的影响
1975 年	水利委员会成立了“跨部门联邦洪泛区管理特别工作组”，成员包括：农业部、陆军、商业部、能源部、房地产与城市发展部、内务部和运输部；美国环境保护局（USEPA）和田纳西流域管理局
1976 年	制定《洪泛区管理统一规划》
1979 年	制定《洪泛区管理统一规划》，并提交国会
1979 年	根据《12127 号行政令》，成立“联邦应急管理局”
1982 年	撤销水利委员会，由联邦应急管理局负责实施《洪泛区管理统一规划》，其负责人是联邦洪泛区管理特别工作组的主席
1986 年	修订《洪泛区管理统一规划》，并提交国会
1986 年	《1986 年水资源开发法》更加强调了非工程措施的重要性，并增加了地方担负的费用

续表 7-1

1988 年	《1974 年救灾法》更名为《Stafford 法》，并作了修改，以指导水灾后恢复和减灾措施
1989 年	编制《国家洪泛区管理状况报告》。这是一份由联邦洪泛区管理特别工作组起草的临时性报告
1989 年	根据《国家洪泛区管理状况报告》，国家审查委员会颁布了《国家洪泛区管理行动议程》
1992 年	联邦洪泛区管理特别工作组出版了《美国洪泛区管理》评估报告。
1994 年	联邦洪泛区管理特别工作组组建的洪泛区管理审查委员会编写了《共同应对挑战：21 世纪洪泛区管理》
1995 年	根据国会的国情咨文的要求，陆军工程师团编写了《密西西比河上游、下游和支流的洪泛区管理评估》
1995 年	1994 年起草了《国家洪泛区管理统一规划》，3 月由克林顿总统提交国会

表述了当今的洪泛区管理理论。

7.2 共同面对挑战

《Galloway 报告》包括 11 个有关 1993 年洪水的结论、35 条建议和 60 个直接关于全面提高洪泛区管理的行动建议。建议和行动的不同之处在于建议的实施不需要新的资源，而行动则不同。6 个章节和报告的三分之一以上是用来描述“未来蓝图”的。

《Galloway 报告》指出了当今洪泛区管理所面临的 3 个问题：

(1)洪泛区的居民及其财产仍然处于危险之中；

(2)生态环境丧失而带来了严重的生态后果；

(3)联邦、州和当地政府间的职能划分不明确。

报告认同减少损失和环境保护的双重目的，指出必须“减少……对洪水危险和损失的脆弱性”，“保护和增强洪泛区的自然资源和功能”，并且宣称，只有如此，才能做到“人类和自然系统共享洪泛区资源”。

按照《Galloway 报告》，为实现这些目标，必须做到：

(1)避免洪泛区的风险；

(2)将风险影响最小化；

(3)当灾害发生时，减小其影响；

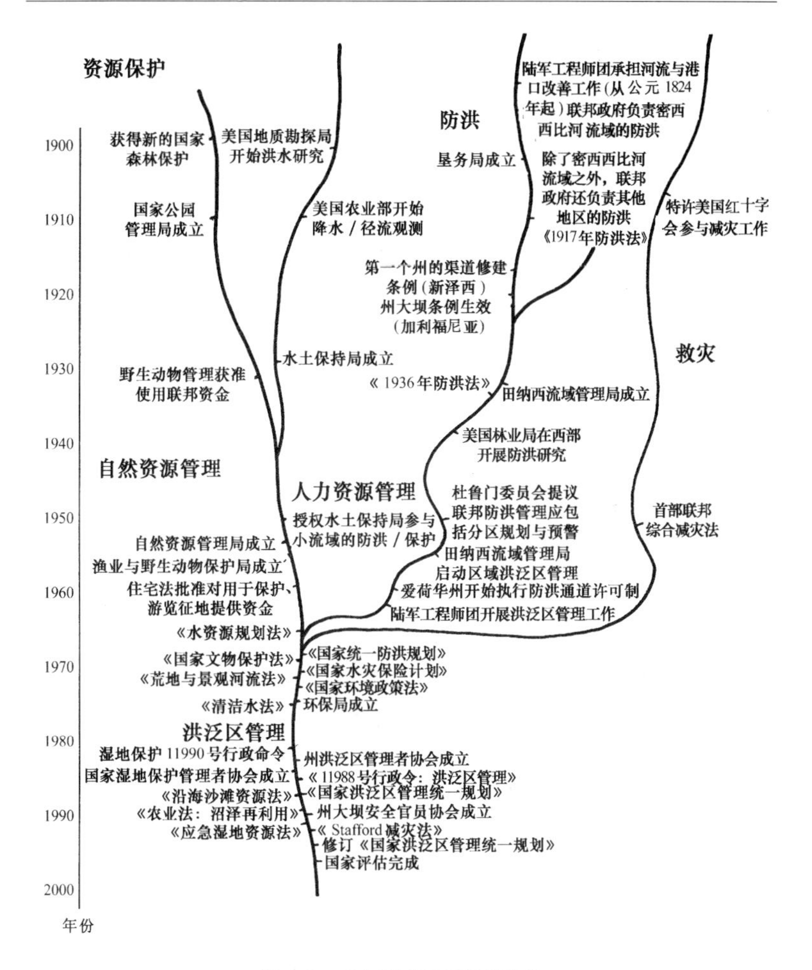

图7-1　美国洪泛区管理评估

(4)减灾的同时要保护和改善自然环境。

《Galloway报告》建议通过《洪泛区管理法》来划清各级政府的职责，正式恢复原水资源委员会，并建议流域委员会来协调新明确的职责。水资源委员会要协调联邦机构的工作，并树立洪泛区管理的良好形象。报告建议各州在所有洪泛区管理活动中起领导作用。报告明确指出，“当地政府对洪泛区管理负有主要责任……”并强调对所有灾害事件所造成的损失，联邦承担75%，地方负担25%。但根据《1986年水资源开发法》第906款和第1135款的规定,当地政府在负担环境恢复和改善的经费时,应该得到资助。

为在战略上实现这些目标,《Galloway 报告》提出的建议更多的是对目前的程序进行改进而不是重建。这“两个基本的战略:保护和拆除”被证明是将洪水影响最小化的途径。报告建议指定陆军工程师团为“联邦主要的堤防建设机构”,推动联邦各机构共同投资建设。报告呼吁政府支持陆军工程师团的堤防维修标准,建议其与国家农业部自然资源保护局所制定的堤防维修标准相一致,并提议对防汛措施进行限定。报告还建议,为使所有人口中心和重要基础设施免遭洪灾,要按设计洪水标准(通常是 500 年一遇洪水)进行保护。“拆除”战略的基本意思是联邦政府全部收买洪泛区受灾财产。报告还建议跨部门之间要进行协调,增加灵活性,对目前的减灾项目进行资助,并特别指出,需要拟定一项计划,以减少重复受灾的受保险财产损失。

报告建议要加强并更好地组织救灾工作。报告敦促政府更多地积极鼓励、改善贷款人的资金流动,由贷款人掌管保单,并改进营销技巧,增加水灾保险单的购买。它建议对那些能获取水灾险赔偿的灾民减少灾后援助,同时建议应为低收入灾民提供安全保障。它呼吁在堤防(其达不到洪水设计标准的工程)保护区推广《国家水灾保险计划》,而且将《国家水灾保险计划》政策范围的等待期限由 5 天延长到至少 15 天。报告建议限制对国家水灾保险计划范围外的群体提供援助,鼓励这些群体购买私人保险以便有资格获得联邦灾害援助。它敦促《国家水灾保险计划》建立社区评估系统,并绘制地图,标出洪水易发地区,提高这些地图的准确性和时效性。最后,报告指出,联邦作物保险计划需要改革,其提供的援助要受到限制,提倡共同参与,使保险统计更加完善。

《Galloway 报告》建议,从保护和改善环境的角度来实现这些目标,野生生物保护区征地规划要符合多目标的流域综合管理,以及更好的组织和更多的资金,并建议在流域内开展一项生态要求调查,并启动一项生态系统管理示范工程。

《Galloway 报告》建议对现有的低效率计划进行修正。拟定这份报告的评审委员会的 31 名成员是从农业部、陆军、内务部、环保机构、联邦应急管理局和管理与预算办公室抽调的。这些专家能顺利地发现具体的、往往也是重要的组织和操作上的不足。当报告提到改善环境的问题时，提出了一些意见和建议，例如，根据保护区税收分配法令增加资金。8 条建议是：建立环境征地联邦领导机构；建立环境征地紧急实施程序；协调联邦机构的土地恢复活动；为紧急事件更灵活地利用计划资金；将征地的重点放在自然价值高的地区；运行和管理预算中包括生态系统管理资金；按照 PL84－99（工程师团堤防修复计划），帮助地方政府分担环境改善费用；按与建筑物同样的费率为减灾提供资金。为了获得更大的效益，这些措施可能是必需的和有价值的，但能否显著地加快生态系统的保护那就另当别论了。

《Galloway 报告》认识到 1983 年确立的原则和方针对非工程措施存有偏见，指出过分强调货币化计算妨碍了环保工程的有效实施。报告建议在规划时要重新考虑环境因素内容的重要性，应更接近于 1973 年制定的原则标准。第 4 章已讨论了这些文件。

《Galloway 报告》要求收集更精确的数据，并进行更多的研究。它指出水灾损失的数据收集存在不足，建议国家对易受洪水侵袭的建筑物进行统计调查。它建议研究①为什么国家水灾保险计划的市场性差？②联邦农田计划对洪泛区土地利用和目前的救灾体系有何影响？报告呼吁开展技术性研究，以评估其货币化的环境与社会效益。报告还要求对测流站网和洪水预报体系，以及流量—频率关系等进行研究。第 5 章已讨论了《Galloway 报告》中对国家和地方政府有影响的建议。

7.3　洪泛区管理科学

为对付密西西比河洪水，美国地质测量局主席 John Kemelis 于 1993 年 11 月领导建立了科学评估与战略小组（SAST）。该小组后来隶属于 Galloway 委员会（1994 年 1 月成立）。科学评估与战略小组负责广泛的数据收集与分析工作。该小组的《21 世纪洪泛区的管理科学》报告（SAST 报告）提供了一些有帮助的科学背景材料和对有关技术问题的真知灼见，并为该领域工作人员建立了共享数据库。报告包括了专用地图、常用数据表格、鉴别高等生物的指南、替代堤防选址的方法，以及对重要变量影响的新认识。

《SAST 报告》讨论了现有数据库，并建议在其收集、资料扩充、协调性和可用性等方面进行改进。报告描述和讨论了密西西比河流域上游水文和地质特点，以及洪泛区的地貌和生态特征，建议开展更多调查工作以增进对该地区的了解。报告初步回顾并分析了洪水位以上地区的管理和防洪堤的经济损失与影响，强调了资料和方法论的重要性。最后，报告提出了改进数据库和分析工具的十分重要的建议。这些建议如下：

· 建立一个由政府科学家小组领导的进行数据汇总的跨部门机构，收集各种利于流域管理的数据（包括物理的、生态的、社会的和经济的，以及重要基础设施等数据）；

· 研究洪水对危险物品流动的影响；

· 联邦、州和地方机构在开发更精确的水文与水力模型和分析程序中加强协作；

· 完成《国家野生动植物目录》；

· 确定 1993 年洪水的生态影响；

· 深入研究温度和河道改造等对水位—流量关系的影响；

· 广泛开展生态研究，开发全流域的生态模型并建立生态恢复实验基地；

· 开发评估洪水位以上地区对洪水减灾措施影响的新模型；

· 对堤防失事事件进行调查统计并分析其原因；

· 针对自然、都市和郊区洪泛区的不同情况，确定可靠的粗糙系数；

· 提供更多、更准确的数据，提高 UNET 模型的可靠性。

7.4 国家统一规划

1966 年第 465 号令颁布实施了减少洪灾损失的第一个《国家统一规划》。1968 年，《国家水灾保险法》1302 条 C 款授权总统向国会提供任何必要的防灾减灾建议，包括防洪受益人分担防洪费用的建议。后来于 1976 年、1979 年和 1986 年又分别修订了《国家统一规划》。最新的《1994年国家洪泛区管理统一规划》于1995年3月提交国会。规划的主体是研究制定政策,设在联邦应急管理局的国家跨部门洪泛区管理特别工作组负责规划的实施。

1966年政府文件的主要目的是减少洪灾损失,提出了17条(列出16个标题)分步实施的建议。1976年、1979年和1986年的文件记载了这些建议实施的过程。这些建议可以归纳为5个目标:

(1)提高对洪灾基础知识的了解;

(2)协调并规划洪泛区的开发;

(3)为洪泛区财产管理者提供技术服务;

(4)制定国家水灾保险规划;

(5)调整联邦防洪政策,制定更适宜的标准,适应新的需求。

《1976年国家统一规划》指出,已有6项建议基本上得到贯彻实施,另有8项取得了一定进展,其余3项几乎未付诸实施。1976~1979年,没有有关这些项目实施的记录,但到了1986年,7项基本上已经实施,9项取得进展,只有一项毫无进展。拟定一项国家计划来收集洪灾损失资料的建议没有很好得到实施,这并不为奇。1994年报告没有提到过去的建议,因此,更不可能将洪灾损失的资料收集当做一项延续的计划。

1976年的修订版将"洪灾损失管理"计划改名为"洪泛区管理"计划,指出一项新的倡议已得到实施;拟定了水灾保险计划;《1974年救灾法》对防洪预案作了授权;1972年PL92-500文件确认了水处理设施计划拨款;《清洁水法》第404条要求挖填工程必须取得许可;沿海管理已启动;原则上,非工程防洪措施已开始费用分担;发布了《原则与标准》,通过了《国家环境政策法》。1976年的文件强调,洪泛区管理的主要问题是管理责任分散,过分依靠公共投资,以及不能解决私人财产与国家和州利益之间的冲突。该文件建议了一项三方策略,即不仅要通过工程措施改善洪水影响,还要通过洪泛区治理、防洪和洪水预报等非工程措施对洪灾的敏感度进行调节,并通过帮助群众防灾、脱险和重建家园来减轻水患影响。

环境10年规划后期所制定的《1979年国家统一规划》指出，政策包括两个新目标：恢复环境的自然功能，保障其正常运行；防止洪泛区自然功能的改变。报告认识到了洪泛区的“自然和效益”价值，并指出，保存和保护剩余自然价值的最好方法是不开发洪泛区。报告改进了1976年文件，包括洪泛区管理行政令（EO11988）和湿地保护行政令（EO11990），及其他总统令的颁布，这些都已提交国会。

《1986年国家统一规划》提出了联邦新减灾活动的重点和22项未来活动的建议，其中一半用于指导州政府及地方政府的行动。文件也为州政府提出了一些建议，例如，立法、行政命令、机构组织和项目拓展等。报告还建议地方政府在运作方式上作一些改进，采用和执行洪泛区管理的区划、分区和建筑法规。

1994年的国家统一规划明确了洪泛区管理有两个目标：①减少洪灾所造成的生命财产损失；②保护和恢复洪泛区的自然资源。报告围绕4个传统的战略，即调节洪水，调节洪水损失敏感度，减轻洪灾影响和保护自然资源，列举了很多洪泛区管理的策略和方法。1994年文件指出：“作为这些目标的补充，修订版引入了行动时间表和评估机制，《国家洪泛区管理统一规划》体现了国家最需要解决的建设和方向问题”。4项主要目标如下：

(1)统一国家目标设定和监督体系；

(2)至少将全国洪泛区内生命财产和自然资源的危险程度减少一半；

(3)研究并实施洪泛区管理激励机制；

(4)增强全国洪泛区内部管理能力。

为实现这些目标，确定了15项措施，并且规定了每项措施的完成日期。据估计，3项与“目标设定和监督”目标有关的工作，以及4项与培训目标有关的工作将于1997年完成，评估机制将得到发展。4项采取激励机制的议程将于1997年完成。最需要采取的措施就是要减少实际风险，不管是最高风险的洪泛区建筑物的经济损失，还是自然资源的潜在退化情形，到2020年，都得至少减少一半。

7.5　当前洪泛区管理政策

目前美国洪泛区的管理目标,是减少和防止洪水造成的经济损失,并恢复洪泛区的自然生态系统。减少财产损失始终是一项基本国策,迄今为止没能实现。不过,人员伤亡已经大大低于90年前的水平,无疑这是因为大大改进了预警和通信系统。发展国民经济和增加就业机会,曾一度明确规定为洪泛区的管理目标,而现在不是了。生态保护是最近才列入的目标,在《1994年国家洪泛区管理统一规划》中得到了进一步明确。

如今,洪泛区管理是在联邦洪泛区管理特别工作组领导下,由地方、州和联邦政府各司其职,各相关部门密切配合实现的。美国的洪泛区管理工作始于19世纪初,那时私有业主通常自行其是,自发地在洪泛区修建堤防和排水渠道,联邦政府逐渐承担起管理职责,最早是航运,后来在洪水造成生命财产严重损失的各河段建造专门的防洪工程。自1936年起,联邦政府承担起全国各条河流的防洪职责。然而,由于地方政府和个人业主对位于洪泛区的土地拥有使用权,土地整治不在联邦管辖范围之内,因此目前的联邦政策强化了州政府及地方政府的重要性。联邦政府设法对地方土地利用决策施加影响。特别是在多目标管理和流域规划方面,州政府承担着多项职责。

多年来防洪工作一成不变,仅仅是建大坝和堤防,使洪泛区免遭洪水侵袭,但现在,洪泛区的管理工作有了一套综合的管理手段。在20世纪60年代,非工程措施开始盛行,预期通过洪泛区管理规章制度阻止向洪泛区移民,防洪、洪水预警和保险各项措施已就绪,以帮助当地灾民,灾难援助能给无法得到帮助的灾民提供救济。最近调整了一项非工程措施:对迁出洪泛区的灾民给予部分补助,或阻止农场主在洪泛区种植农作物。洪泛区管理政策主要是实现经济目标,明确针对野生动植物生存环境的项目却很少。虽然从洪泛区清除建筑物及耕地的减灾措施可能会产生间接的环保效益,但禁止人类活动并不能让洪泛区自动恢复其自然状态。《1994年国家洪泛区管理统一规划》开始实施之初的基本要求是对大城市和农村地区的自然资源展开调查统计。这些正是研究人员想要达到的目标和实现这些目标所要采取的方法。

第 8 章　洪泛区管理现状

国家已投入相当多的资金解决洪水问题，人们对洪灾产生的原因及应采取的对策更明确了。从 20 世纪 60 年代开始，国家制订了统一的洪泛区管理规划，虽然这一揽子规划的目标和战略愈来愈详尽，但到目前为此，实际情况仍不容乐观。

洪泛区管理的理论超前于实践。人们不知道到底是哪些经济因素在起作用，更不用说生态和效益方面的因素，因而不能准确评价经济和生态方面的损失，导致利用效益费用比进行方案评优时存在着严重缺陷。同样预测洪灾损失的方法及修建防洪工程的技术太复杂，洪泛区居民难以接受，且其方法和技术本身也存在潜在的严重问题，可能难以达到预期的目标。

从 20 世纪 90 年代早期开始，洪泛区管理目标发生了深刻的变化。过去人们只考虑生命和财产方面的损失，但现在还要考虑对生态系统的影响，并要求对其实行保护(虽然这些计划实际上很少实行过)。我们曾尝试采用购买洪泛区土地的方法来限制区内商业发展，但由于存在农业补贴和灾害援助问题，使得该方法流产，洪泛区仍在继续膨胀。

从 20 世纪 60 年代初开始，人们就意识到只要洪泛区继续膨胀，即使兴建防洪工程也无法减轻其洪灾损失。虽然联邦政府和一些州政府可以制定政策来规范洪泛区管理，但它们却没有执行权力，即使拥有执行权，地方也不愿意去落实；洪泛区的财产所有者也不愿意放弃财产：一方面他们拒不执行政府的规定；另一方面却从政府获取好处。28 年前，《国家水灾保险计划》看起来是个好办法，但现在看来并没有达到预期的目的，人们必须面对这个现实。我们必须意识到提供灾民太多援助的危险性，因为如果继续提供援助,会鼓励人们仍然滞留在洪泛区,这样,每当洪水暴发时,既难以实施正确的防洪措施,又要付出更多的援助。

1989 年,国家审查委员会根据联邦应急管理局的《全国洪泛区管理情况报告》(以下简称《情况报告》),提出了《洪泛区管理行动议程》(以下简称《行动议程》)。国家审查委员会由联邦洪泛区管理目标合作处组建,由 11 名专家组成,White 和 Riebsame 同任主席。《情况报告》中提到:"1989 年 4 月,已经起草了一个初步报告,该报告作为 1992 年 Johnston 报告和综合评价报告的蓝本"。同时指出:"尽管公众和个人努力减轻洪灾损失,但对国家来说,人们继续占据易洪泛的河边和海滨地区,会给国家造成更大损失,更多的资产处于危险之中,不良资产的规模和价值继续攀升,大把的美元不断吞进去;洪灾损失补偿既不全面,也不准确;洪泛区的继续开发导致了洪灾损失的持续增加;目前管理和限制洪泛区不合理使用而带来负面影响的措施还不完善"。最后,《情况报告》中强调指出:"这个全国统一规划既不是全国性的又不是统一的"。

《行动议程》提出了一些评价具体方案的措施,确定了指导下一步行动的 6 点建议:

(1)洪泛区管理以制定政策为主转变为以全面规划为主;

(2)升级数据库系统;

(3)充分重视当地的实际情况;

(4)减少联邦政府各种计划之间的冲突;

(5)减少现有工程潜在的问题;

(6)培训洪泛区管理人员。

该报告阐述了实际存在的问题,显而易见,提出的方案难以解决众多难题。7 年已过,这期间经历了一场大洪水,也提出了一份全面评价洪泛区管理的报告和一个新的全国统一规划,但是实际上洪泛区管理情况并没有多大变化。

8.1 技术问题

令人难以置信的是仍没有准确的方法收集统计洪水造成的经济损失。从 20 世纪 40 年代起,White 一直在寻求合适的损失评估法。1986 年，在《1936 年防洪法案》颁布 50 周年纪念会上，他指出："尽管在 1939 年国家资源委员会设置了一个机构以建立统一的灾害损失资料收集系统，并且在 1966 年重提了这个建议，但迄今为止仍没有建立起来"，同时提出，"一般情况下高估了实际损失"。没有准确损失资料就不能合理描述洪水有关问题，更不能评估解决问题的方案，实际上，也不知道什么时候能解决好这些问题。洪水发生时，并不是利用原始资料去描述洪水的有关问题，而是依赖媒体报道、道听途说的轶事和本领域一些专家的评论，因而并不知道实情和原因，甚至对人员伤亡方面的统计都不准确。例如，在 1993 年中西部洪水中，官方估计伤亡人数为 47 人，但仅占受灾面积 1/9 的密苏里州伤亡人数就达 31 人。

鉴于多年来洪灾损失评价方面的不足，甚至误导，美国陆军工程师团成立了一个委员会对 1993 年洪水损失进行了全面评估。这样看起来可行，但也很难达到目的，因为至少需要 3 年甚至更长的时间才能得出评价结论，而一些错误资料却早已进入了官方记录和大众头脑中了。早在 1996 年就任命了该项目负责人，但进展不大，也许没有条件完成这项工作，也许这项工作要比预想的困难得多，也许这项工作收益不高，或者这三者兼而有之。

人们没有对大洪水所造成的生态损失进行过精确测算，即使将来也可能不会。测算工作的第一步是要对 1992 年国家资源清册中确认的 6 230 km^2 易洪泛区进行基本情况调查（见第 2 章）。寻找这些资料就已经很困难了，更不用说更新这些资料。第二步是重新调查洪水过后的情况。虽然陆军工程师团在《1995 年洪泛区管理评估》中重新调查了许多有用资料，包括土壤和物种、森林覆盖和土地使用、水生资源和渔场、野生动物及野生动物保护区、自然区、休闲娱乐区，惟独缺少洪水损失。这种情况可解释为"研究刚刚起步，许多工作有待进一步完成"。如果不能收集这些方面的经济损失资料，那么也不可能收集到生态损失资料。

1983 年发布的《原则与标准》呼吁联邦政府进行水资源规划时必须考虑对洪泛区自然资源的影响。10 年以后，《原则与指南》取而代之，它主张水资源规划应以促进国家经济发展为惟一目标。

由于评价国家经济发展必须以货币单位计量，所以在《原则与指南》中指出，实行真正意义上的生态评估不可能。《全国环境政策法》颁布于1969年，但Bory Steinberg 1986年调查了170多处新洪泛区时，发现仅3处考虑了非工程措施。Steinberg说陆军工程师团认为当地政府的抵制和经济方面的不可行是不能实行非工程措施的原因，既然许多非工程措施与生态因素有关，而生态因素又不是决定评价经济可行性的效益费用比构成因素，那么结果如何都不感到意外。

没有准确经济损失资料，就不可能知道防洪工程和防洪规划所起的作用，或者说也不知道描述工程和规划时效益费用比精度到底如何。效益费用比本身并不严密，费用测算也不全面。如上所述，由于难以判断和评价工程能减轻残余损失的情况，计算费用时并未包括生态损失，生态损失甚至根本就没有量化为经济指标。人们多年来一直认为残余损失在不断增加，而且仍在继续。和以往防洪规划相似，现在，在加利福尼亚州的萨克拉门托，一旦按100年一遇洪水标准设计，就会同时制订相应的拉托马斯盆地发展规划，当洪泛区被过度开发时，在效益费用等式中，费用方明显增大。

等式的效益方(减少经济损失)也受众多不确定性、不完备性因素影响。在第6章中列出了效益费用比的形成过程。过程的每一环节，都有可能存在着严重问题，流量与频率之间的关系建立在有限历史资料之上又没有经常更新。例如，在密西西比河上游，1993年洪水出现了许多新的洪峰，但从1979年起流量—频率曲线却从未变过。

水位和流量的关系近似代表河流的运力，可根据河道断面、几何尺寸、糙率等进行计算，但可能不精确。洪泛区管理评价研究表明，如果清除密西西比河中游和下游农用堤防，那么使用洪泛区将影响洪峰的削减，洪泛区内的农业用地水位变幅为－0.9～0.3 m(－3～1 ft)，比植树造林－0.9～1.4 m的变幅对削减洪峰的影响更大。河流运力和糙率对结果的影响非常敏感，常称为主要影响因素。洪泛区管理评价认为农业用途洪泛区的权值取0.08，而植树造林用途的密西西比河沿岸的权值取0.32。1993年洪水后，由联邦科学评估与战略小组出版的《SAST报告》阐述了这种分析方法，并据此得出结论："分析非农用堤防时，选取适当的糙率或权值至关重要"。《SAST报告》建议继续研究各种森林覆盖情况下(包括城市和郊区)的权值，并结合洪水规模来判断糙率的变化。例如，水流通过主干状河道的速度比通过枝杈状河道的速度更快。温度也影响水位和流量关系，河流的水位随季节变化而变化。例如，经过圣路易斯河11 320 m^3/s的水流，温度变化可造成达1.8 m的水位落差。有时，不知什么原因，水位和流量之间关系也没有规律。例如，在密苏里州的圣约瑟夫河，在1928～1959年间，2 830 m^3/s的洪水水位从来没有超过海拔5 m。但是，从1959年起，同样大的洪水已经16次超过了5 m。

许多机构一般用HEC－2模型来计算水位。该模型是一个静态模型，不适用于分析有工程措施的洪泛区。例如，Williams指出，由于模型存在偏差，因此对洪泛区的保护或重建毫无用处。该模型现在用得较少。现在一般采用第6章提出的UNET模型取代HEC－2模型。模型的选取和分析步骤对洪泛区管理影响很大。

洪泛区规划要以水文计算为依据。对既定的洪泛区估算其水位面临一些困难。如地图不准确，或者标注不精确，甚至洪泛区的范围和用途发生了变化，而地图却没更新。对洪泛区损失财产进行经济评价用一种标准，而对洪泛区界定却用可能错误的或过时的其他标准。财产使用和价值评估是用公式计算的，不能反映单个因素变化或者随时间变化情况。例如，经济损失如农作物损失仅仅是按公式计算的，并不能反映实际洪泛区特性，也不能考虑某次特定洪水特点，比如它的能量、波动运动、冲积作用或洪水历时等，而所有这些又都是影响损失的因素。陆军工程师团认为，计算1993年洪水损失时低估了实际损失，这些损失主要是因洪水历时过长造成的。

即使初步计算损失是可行的，但真正发生洪水时，情况又会有所不同。例如，在亚利桑那州的图森，河流的容许泄量为1 500 m^3/s，而实际泄量只有113 m^3/s。然而，在菲尼克斯的吉拉河情况恰恰相反:一次洪水造成了 3 m 的淤积,当把 100 年一遇的洪水分蓄到 500 年一遇的洪泛区时,区内一片汪洋。

水库和其他防洪工程运行时达不到原来的设计标准。早在 1986 年发洪水的时候,萨克拉门托市亚美利加河上游福尔松大坝保护下游 120 年一遇洪水的标准实际上只达到一半。在初期,一般管理者很少做必要的防洪调度工作,因为他们不仅不愿淹没下游设施,也不相信预测的大洪水真的会出现。同样,虽然已制订了相关防洪规划,但一直认为没有必要执行。如 1993 年,市政人员拒不执行得梅因市的防洪计划,拒绝在铁道上堆沙土袋,结果该市 58 块城区一片汪洋。

陆军工程师团最近提出了一种"风险和不确定性"理论(陆军工程师团,EC1105 - 2 - 205,1994 年)。这种理论在国家科学研究委员会的关于亚美利加河报告中有详细讨论,该理论已用于工程实践,国家科学研究委员会认为是重大的创新。在国家科学研究委员会的报告中,对该理论及一些具体问题作了详细阐述,并进行了一定深度的技术分析。

一般来说,人们不知道影响因素之间的差别,因为它们都能描述事物发生的可能性,而且又都不能确定其准确值。然而,利用风险理论可以描述一个过程的随机变量,比如淤积情况;不确定性可用于描述很难收集的数据,比如洪泛区内的准确住户数。

在国家科学研究委员会的报告中提到了陆军工程师团的新设想,即"既与当前实际情况相近,又将不确定性因素转变为准确数据,融入到分析中。"报告阐述了这个过程,并总结说,"陆军工程师团提出的风险和不确定性理论过高估计了洪水平均风险和平均每年洪水损失。如果在全国范围采用这种方法,必须考虑这些缺点,否则将使工程经济评价失真。"

着手起草国家科学研究委员会报告的专家们发现陆军工程师团开始把风险和不确定性理论用于亚美利加河研究时"非常困惑",而且也不知道怎样在实际研究中运用。有关亚美利加河和国家科学研究委员会报告的详细讨论详见第 9 章。

8.2　社会心理问题

认清处于洪水危险中的人们对洪水的态度是搞好洪泛区管理的关键。《洪泛区管理行动议程》指出:“人们认为不会再发洪水了,或是在他们的社区内不会再发了”。人们往往宁愿往好处想,对可能性小的洪灾风险置之不理,这种观点不利于加强洪泛区管理。很明显,信息公众化和加强防洪教育是解决问题的有效途径。

Kunreuther 提出了适用于洪水和飓风的“自然灾害征兆”论,指出人们不建保护设施或不愿购买洪水保险,是因为人们过低估计发生灾害的可能性,并相信“灾害不会降临到我们头上”。当风险可能性低于一定水平时,人们明显趋向于按风险为零的情况行事。Kunreuther 指出,人们不愿意对未来收益提前支付或者过多投资。如人们宁愿借租期为 1 年坏掉插销的锁,也不愿借租期为 5 年的好锁。在 1993 年中西部洪水时,也有相同的一幕:42 000户(仅占 803 000户中的 5%)购买了洪水保险,并且其中 1/5 按《国家水灾保险计划》进行投保的人取消了保险。研究表明,人们不可能为概率 1/100 的事件预支许多钱,而且洪水高发区的财产保险是经过保险部门精确计算的,这样人们拒绝投保就不足为奇了。

一般地,灾害援助计划导致了保险业所谓的“信誉危机”,因为人们认为参加了保险就消除了风险,从而更加刺激了冒险行径。当洪泛区受灾居民能轻易获得低费用且有洪水保险补贴和广泛的灾害援助时,他们迁出洪泛区或居住区的积极性就更小了。但有趣的是,Kunreuther 迄今尚未找到证据来证实这个观点:“对于大多数居民来说,当问及他们准备从哪里筹钱重建家园时,都认为依靠自身积累或者银行贷款”。

人们认识洪水及其起因有助于将解决问题的方法模式化。一种方式是:洪水是别人的过错造成的。根据这种观点,政府政策是错误的,上游采取措施也不妥当。例如,伊利诺伊河低洼地被洪水淹没的房主抱怨说,洪水来自芝加哥,因为 Joliet 上游的闸门打开了(个人判断)。支持非工程措施的人则指责陆军工程师团仍在修建防洪工程;洪泛区的农户要求在上游建更多水库并更好地利用现有水库。洪水后,有人想调查受灾最严重的人们对洪水的反应,但这一做法却激怒了他们。下面是 1993 年密西西比河洪水过后陆军工程师团的调查结果:

"你们的观点偏向于鱼和野生动物,你们影响了许多人的生活,我们怀疑谁更应优先,是鱼还是人!"

"我们不想陷入沼泽地,我们不需要这么多研究,我们所需要的是整修堤防,而不是这么多机构教我们怎样照顾自己的生活"。

"我们不能清除我们的堤防体系,也不能抛弃国家和人民的利益"。

"湿地重建是政府资金的浪费,不管怎么说这些资金都来自公民的辛勤劳动"。

"我希望看到这些堤防消失,不要围起来,让河流沿原有的河道流淌"。令人惊讶的是,当工程师认为需要清除堤防时,人们并不认同,并说"开动你们的脑子,不要动我们的钱包!"

"这些洪泛区是为江河而建的——该分洪时就让它分吧!人们一直忙于冒险和花大把大把的钱(纳税人的钱)来控制自然。如果推倒堤防需要帮忙的话,请告诉我"。

"许多生长在河边的人都反对你们的建议,但政府知道怎样做才会更好"。

河水在洪泛区自然流动,总比其他情况危险小一些,就此而言,不采取措施约束洪水是明智的,但人们的家庭和工作,或者说他们的生活,在发生洪水时就会受到影响。因此我们希望工程师和决策者对可能的风险有一定程度的了解和正确的认识,但要求实际受害者和潜在的洪水受害者达到同样的认识水平是不可能的。

8.3 政治问题

洪泛区管理是一个公众问题,但仅发洪水时才优先考虑。行动始于危机，由于洪泛区洪水过后混乱不堪，导致《Galloway 报告》和《1994 年国家洪泛区管理统一规划》出台。虽然在 1995 年第一步行动计划截止时组建了一个执行机构，但从未执行过计划，甚至在 1996 年召开国家论坛时连第二步行动计划也未提出来。而且，即使《1994 年国家洪泛区管理统一规划》确实呈交了国会，也不要期望政府能执行（以上是 1996 年 2 月 17 日联邦洪泛区管理特别工作组执行主席的个人交流意见）。不管对 1993 年政策如何评价，但本届政府在 1996 年 2 月前还没有制订出官方计划。毫无疑问，只有洪水危机更大时才会执行这项计划。

然而，洪水来临时，国会的一些议员会为迎合选民而抛开已正式颁布实施的防洪计划，这是因为洪水受害者对立法机构施加了巨大的压力，相关传媒大篇幅报道受灾者的无辜及其痛苦遭遇，促使立法者置有关防洪计划与政策于不顾，而使那些不负责任的决策者逃脱惩罚，这样下去，只会导致这种现象不断发生。1993 年洪水过后，只要洪泛区居民的财产有所增加而没有购买洪水保险，只要排水区没有按陆军工程师团的标准维修堤防，只要地方政府拒绝参加（防洪）费用分摊，上述问题便时有发生，这些不负责的行为都是一些议员为捞取选票而迎合选民的结果。

8.4　管辖问题

最近许多政策解释指出了政府的困惑。《Galloway 报告》把政府的困惑作为洪泛区管理的 3 大主要问题之一。与其说是困惑不如说是矛盾。偿付损失的联邦政府要求当地政府限制洪泛区发展，而当地政府和选民则要求私有财产得到保护，继续在洪泛区内发展。当地政府抵制洪泛区管理制度，实质上是袒护私有财产。最近，在 104 次国会关于收入问题的研究时，这种观点尤为明显，认为限制个人使用具有处置权的财产，等同于从经济上剥夺了其财产，应该得到补偿。在 1995 年州洪泛区管理人员调查时，州洪泛区管理协会问及当地官员是否因为收益问题而不愿意实行洪泛区管理制度。回答者中仅有 6 人回答“非常愿意”，17 人说“不太愿意”和 15 人（几乎是 1992 年调查的两倍多）说“非常不愿意”。

1995年4月开展的Lou Harris全国范围内的民意调查中提到联邦政府是否有权制定政策阻止洪泛区发展和占用私有土地时，结果5%被调查者回答“不”，现在再问起这个问题，并认为土地利用将以损害环境为代价时，结果79%的人回答“是”。

《Galloway报告》引用了州洪泛区管理人员代表的观点，他们要求改革，以发挥联邦洪泛区管理作用。各州要求联邦政府应与地方分担资金，但即使这样，也不能从根本上解决问题。因为只要联邦政府仍要求地方政府限制洪泛区发展，不管有没有国家水灾保险计划，地方政府都会任其发展。

通过对1978年和1982年两个样本的研究，Burby总结说，“地方洪泛区规划不能阻止区内外危险地区的继续发展”。例如，在加利福尼亚州萨克拉门托市，只有继续发展中心地区的工业、商业和住宅，才可能保留洪泛区，海岸线洪泛区已经变为居住和度假的黄金地段。农村洪泛区为农作物生长提供了肥沃、平坦的土地。洪泛区正是人们想居住的地方。财产所有者不愿牺牲自己的利益，抵制限制其发展的政策与措施。在科罗拉多州波尔德，White在出席《1936年防洪法案》实施50周年纪念研讨会时，对波尔德的洪泛区管理作了精彩的描述：

> 科罗拉多州波尔德区有一套自己的章程，和其他地方不同，它禁止在波尔德河的分洪河道及其他危险的支流河道边发展新居住区，并且要求在采用100年一遇洪水位的洪泛区内新建住宅时采用提高0.6 m标准。然而早在制度制定以前，在河边与陆军工程师团1936年提出的堤防保护边界线之间已经建起了许多都市大厦，后来城市又在分洪河道建起了新公共图书馆，并且计划为图书馆新建防洪措施，而且同意在洪泛区内扩展非居住性用地。丹佛市是该地区具有排涝和防汛任务的地区之一，该城市确实有一套没经过检验但设计齐备的防汛预警系统。
>
> 科罗拉多州立大学已在洪泛区修建了一些已婚学生公寓；在洪泛区兴建或即将兴建的高密度居住区采用联

> 邦应急管理局规定提高0.6 m的标准；正在为校长新建的房子位于支流分洪河道上，高于100年一遇洪水标准0.6 m；正在研究兴建的一个研究院横跨分洪河道，这些建设明显违反了城市防洪制度，也违反了1988年州长颁布的行政命令。

地方政府代表着土地所有者，有单独管制土地使用的权力，但他们并不愿意这样做。决策者不仅不愿承担激怒洪泛区财产所有者的风险，而且也不愿意失去经济增长和居住发展而减少的税收。另外，当地资源有限，还不能为洪泛区管理提供足够资金以提高管理水平和效率。Steinberg抱怨说，陆军工程师团难以实施非工程措施有两个原因，其一就是当地人不理会他们，这是一个很重要的原因。

8.5 制度问题

总而言之，对洪水保险给予补贴使经济责任从财产所有者转移到联邦政府的方法已不起作用了。1987年，Burby和Kaiser估计500万~700万座建筑物处于危险状态，而1980年保单卖了200万座，接下来的4年中保险销售没有什么突破。《国家水灾保险计划》的主要目的是逐步提高保险费，从而使费用由国家逐步转移到个人。1993年Kunreuther的评估报告指出：960万洪水高发区住户中有200万有保单。该计划宣布1994年10月保单数超过了280万，至1995年春季达到了300万，并提出从1994年10月至1996年9月，保单数将提高20%。即使如此，这个数字也仅占洪水高发区建筑总数量的25%。《国家水灾保险计划》仍在努力提高洪水保险的覆盖面，但实际的投保比例仍很低。随着保险金额的增加，又出现了两个难题：首先，41%的保单仍需要补贴；其次，自1978年以来，对毁坏建筑物的补偿几乎一半(44%)由国家水灾保险计划负担，其总额至少也翻了一番。

洪泛区非工程措施管理仍停滞不前，原因之一就是洪泛区由工程师们管理，这个原因仍有争议。这个争议循着这样的逻辑："如果你的工具是锤子，所有问题就是钉子"。而陆军工程师团的工具就是建设，但该机构仍被安排进行一系列困难和难以界定的工作，其中最近的一项就是洪泛区管理评估。例如，在1993年中西部洪水过后，在环境和市政工程会上，有6位参议员最先站出来，要求陆军工程师团尽快完成以下工作：

(1)制定一个新的战略，促进经济和资源在21世纪可持续发展；

(2)保护公民免遭洪灾影响并保持航运和港口畅通；

(3)保护河流和鱼类及周围湿地；

(4)关注洪泛区的环境及休闲娱乐；

(5)赋予陆军工程师团在湿地管理方面更多的职权；

(6)更深入关注密西西比河上游。

陆军工程师团尽其所能应付国会的善变和相互矛盾的指示。没有可行的方案却希望把生态效益与效益费用比合并计算；缺乏必需的工程或资源却希望实施流域规划；一方面表明希望听取当地意见，另一方面却置之不理。正如Steinberg的观点一样，陆军工程师团已经把主要的非工程措施部分与仅有的其他3个项目合并在一起，因为联邦政府利益与地方政府利益相冲突，他们不可能调整经济方面的利益，试想在这种情况下，陆军工程师团除了继续修建工程外，还能做什么呢？

8.6 经济问题

不管是偶然还是蓄意的，能真正保护环境的洪泛区规划应该是放弃区内财产，迁移出来，从而降低费用。简单地说，洪泛区土地升值是由于政府的支持，农业补贴、高额洪泛区保险补贴和修建防洪工程都会使洪泛区财产增值。据研究，正常情况下作物保险和灾害援助加在一起往往超过了农民的期望。如果返回到自然状态，洪泛区将具有高生态价值和低经济价值，联邦政府可以避免人为付出高额的经济援助并用少量的费用让居民放弃区内财产，从而节省资金。减少灾害支付容易使洪泛区用途发生根本变化，农民耕种土地减少。但只要区内支付了保险费，农作物保险“改革”就不可能达到目标。

洪泛区管理规划和政策制定需要可靠的调查研究作基础。只有收集到能精确评价规划的资料,说话才有依据。说起来好像很有一套减少经济损失和增加生态效益的洪泛区管理规划,但实际上目前并没有。不能减缓洪泛区发展的事实正摆在面前,但我们坚信明天会不同。没有人收集诸如经济损失、洪泛区占用情况的变更和联邦政府用于灾害援助的可靠数据,而只有这些资料才有助于了解洪泛区现状,否则就不可能评价各种规划的有效性或目标进展情况。

第9章　密西西比河和亚美利加河

1917年,美国通过了第一部明确规定减轻密西西比河和萨克拉门托河洪灾损失的防洪法。该法案批准在密西西比河投资4 500万美元及在加利福尼亚州萨克拉门托河投资560万美元用于修建堤防与清淤河道。国会认为,根据这部重要法律以及原来制订的部分法规,可以深入持久地控制洪水。

在近80年内经历数不清的洪水后,这两个流域的洪水问题仍在进行仔细研究。不过1917年深入开展研究的是密西西比河下游,而最近的研究则是上游。20世纪初,发生洪水的是萨克拉门托河,现在却是亚美利加河,因亚美利加河支流和萨克拉门托河边的商业区交汇在一起,因而备受关注。

1995年,有两份明显不同的文件,一份是亚美利加河防汛委员会制定的《洪水风险管理和亚美利加河流域》,另一份是美国陆军工程师团制定的《密西西比河上游和密苏里河下游及支流的洪泛区管理评估》。两份报告都是按国会要求提交的,前者是1991年陆军工程师团对亚美利加河流域的不同看法,后者是对1993年密西西比河上游洪水的看法。下面讨论这两个文件的有关内容。

9.1　亚美利加河

亚美利加河防汛委员会由国家科学研究委员会成立,按照国会要求对陆军工程师团在亚美利加河流域的防汛工作进行评价。该机构由多名专家组成,来自全国各地,大部分在私人部门工作。委员会1993年开展工作,1995年春季结束,并随后公布了结果。委员会对陆军工程师团提出的亚美利加河流域调查进行了重点研究,并寻找适合下游的防洪替代方案(图9-1)。

1986 年 2 月的强风暴导致了洪水暴发，洪水几乎毁坏了保护萨克拉门托市 140 多万人口中四分之一以上的生命财产及商业区

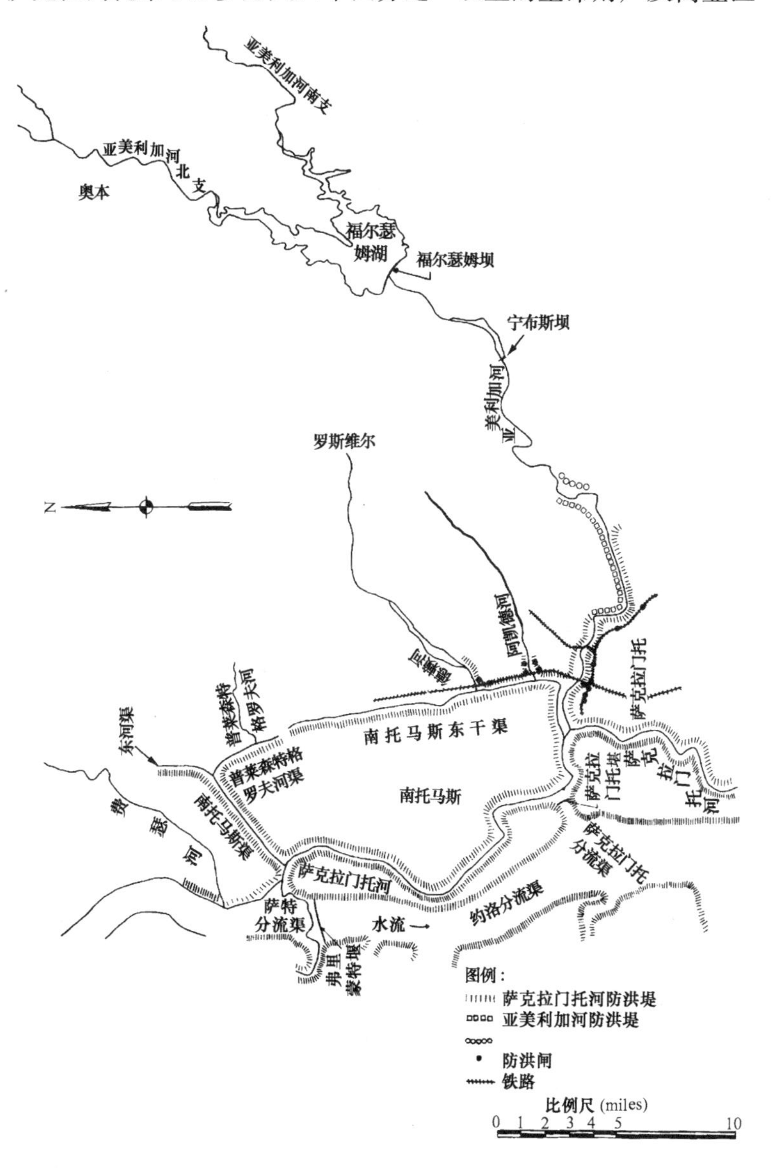

图 9-1　亚美利加河流域防洪情况

和州政府大厦安全的堤防。1991年陆军工程师团建议采用工程措施防洪,即亚美利加河流域调查中讨论的措施之一。其中有一条是工程措施,但受到了强烈批评。当委员会开展工作时,陆军工程师团已开展了新的研究。

评估亚美利加河流域的防洪措施是为了保护价值37亿美元易受损的财产。1986年,这些财产面临的风险已经很高了。亚美利加河发源于内华达州塞拉利昂山脉,从西南向东北穿过萨克拉门托峡谷,在萨克拉门托市汇入萨克拉门托河干流。下游的堤防和上游福尔瑟姆水库保护着商业区的安全,该水库的岸线长达120 km,是重要的灌溉水库。亚美利加河流域调查提出了13种洪水控制措施,最后提出了其中4种措施的6个组合:修筑奥本(Auburn)防洪坝、提高福尔瑟姆坝调洪能力、提高大坝泄水效率和增加坝下游河道泄量。陆军工程师团最初是想建一座大水库,以防御400年一遇洪水。然而,当地支持者更偏向建一座200年一遇洪水标准的奥本坝。1994年亚美利加河流域调查提交了新报告,提出同样4种措施的7个组合,委员会认为有所改进。

萨克拉门托历史上洪灾频繁,公元1850年一次洪水使该市最早考虑迁出洪泛区。后来防洪措施有所提高后就没有这样做,但洪水仍继续暴发(第2章)。福尔瑟姆水库设计标准为500年一遇洪水,然而,1907~1990年,最大的6次洪水还没有达到设计标准,但1955年、1963年、1964年、1986年洪水频发,以至认为500年一遇的洪水实际上却是70年一遇了。福尔瑟姆水库事实上并未用于防洪,其水量来自上游的降雨,主要用于发电和娱乐等方面。1986年下游的洪灾部分归因于多目标运行方式。福尔瑟姆上游的奥本坝,于1965年批准兴建,随后正式动工,但1967年坝以北72 km发生的地震使之停建。由于设计存在问题,后来重新进行了抗震设计,目前仍没有复工。环境保护者提出反对意见,当地发起人因增加了地方分摊费用也无积极性(这些费用是根据《1986年水资源发展法案》中的公式计算的)。亚美利加河流域调查建议把奥本水库建成一个干坝(dry dam),并认为这样比1967年提出的方案更能保护环境。然而,一些环境保护主义者联合起来阻止建该坝。

委员会要求从事一些特定的技术研究,如研究下游堤防的稳定性。陆军工程师团认为在初始设计条件下,堤防是安全的。然而一个顾问却认为堤防很可能不安全,同时另一个顾问认为做出决定需要更多的资料。委员会建议进一步研究这一问题和下游河道稳定性问题。委员会也提议用水力学模型对地震作用下奥本坝可能发生溃坝的问题进行评价。委员会承认陆军工程师团从 1991 年使用的 HEC－2 模型转变为 1994 年使用的 UNET 模型是一种进步,但对陆军工程师团 1994 年使用的风险和不确定性理论计算洪水的理论(第 8 章)并不认同。

亚美利加河流域调查因对环境影响分析不够而受到了批评,主要是干坝对环境的影响问题。委员会提议必须安装闸门防止水库水位急剧下降。奥本水库是一个多用途水库,对于保护潜在破坏的生态环境而言,建干坝是一种进步。但委员会认为对建干坝后的种植区、峡谷土地洪水周期泛滥及生态稳定的潜在影响等认识还不够,没有方法评价相关生态系统持久和广泛的影响,也找不到相似生态环境的大干坝参考。委员会认为应注意峡谷山坡稳定性问题,尤其大坝没安装闸门时水库水位会急剧降低,需更加深入地研究山坡的稳定性。委员会指出,亚美利加河流域调查用来计算生物影响的方法实际上不可能精确。如预测鳟鱼渔场的变化并没有估计其重要性及次生作用;没有确定植物区和动物区的重要性;也没有调查生态系统的变化情况。亚美利加河流域调查认为可以采取减灾措施来解决环境问题。但是,委员会指出,减灾措施把环境效应融入到规划过程本身并不合理,规划时损失能最小化而非简单地弥补(委员会不止一次说明,由于资料缺乏,对于鱼类和野生动物保护局来说,甚至不可能准备“一个适当的减灾措施”)。

在进行风险和不确定分析时,委员会问及生态风险是否也能评估。结论是生态风险评估系统还没有达到实用程度,而且所得到的亚美利加河一些有关的生态资料存在许多问题,故专业和非专业人士承认评估的可能性很小。

下游河道因流动的渔场与重要的娱乐资源而列入了国家野生生物和风景优美的河流系列。从城市逆流而上 37 km,其毗邻河流的土地有很高的休闲娱乐价值。在福尔瑟姆水库,可以进行钓鱼、汽艇、帆船、冲浪等一系列娱乐活动,是该州公园中最受欢迎的公园之一。上游河岸有自然生物区,有一条陡峭的瀑布飞流直下,河道上的Ⅳ级和Ⅴ级急流可乘筏漂流。所有这些娱乐都受防洪措施的影响,在确定防洪方案时难以合理取舍。

委员会对提高防洪标准有利于刺激经济发展进行了详细阐述,但指出同时也增加了残余风险。虽然在奥本修一座多功能水库将促进上游经济发展,但萨克拉门托附近却是一个堤防围起的地区,即南托马斯盆地。盆地有 222 km^2 土地,设计防洪标准为 100 年一遇,66 km 的堤防使其免受亚美利加河和其他河流的影响。南部盆地的一小部分已经开发了,南托马斯北部 194 km^2 的土地备受关注,被萨克拉门托规划为“城市房地产和商业发展主要地区”。

在 1986 年以前,盆地发达地区并不受《国家水灾保险计划》的制约,认为盆地达到了 100 年一遇的防洪标准。后来,当防洪标准降为 40 年至 70 年一遇时,国家水灾保险计划施行了 4 年后又取消了。委员会援引了国家水灾保险计划官员的话(该官员 1989 年 1 月 3 日反对国会法案,并发表个人意见):“维持现状必将为新建筑物提供更多津贴”。为贯彻国会的号召,1990 年该市禁止新建商用建筑,但却同时同意在南托马斯盆地实施经济发展计划,允许申请建设贷款,只是强调达不到 100 年一遇的防洪标准就不容许建设。委员会总结说:“尽管不能或可能不能解决防洪问题,但也不能阻止南托马斯的发展。”

亚美利加河工程的地方支持者为萨克拉门托地区防洪局(SAFCA)。它要求采用 200 年一遇防洪标准,但和其他人的利益相冲突,于是有人甚至利用当地选举来阻止国会批准这个标准。萨克拉门托地区防洪局既不代表上游利益,也不代表奥本多功能水库利益,反对在奥本建任何坝。这两个各执己见的利益集团在反对官方的“地方”方案时,却又团结起来了。但当萨克拉门托的发展被谴责为破坏上游河谷生态，造成委员会所说的"亚美利加河上、下游公众利益争执僵局"时，上、下游两方又各执一词。

400 年一遇防洪标准的奥本水库，其最大蓄水量的替代方案与《原则与指南》的计算要求下的国家经济开发工程相一致，说明效益费用比最高，这已在第 4 章中讨论过。除了表明已经完全控制了洪水，且在南托马斯盆地稍有收益外，委员会并未讨论收益的细节情况。《原则与指南》表明发展经济必须遵守有关环境保护法规，环境保护费用应计入总投资中，陆军工程师团推崇这一计划。然而，萨克拉门托地区防洪局认为防洪标准应为 200 年一遇，这样所需投资就略低于纯利的 1/5。《原则与指南》认为："如果有充分理由推荐更好的方案，那么可以替代国家经济开发工程"。

委员会通过经济分析认为，亚美利加河工程国家收益太少，其所需费用应直接由受益者承担。委员会认为地方政府应分摊工程投资，并限制洪泛区的继续发展。为执行《国家水灾保险计划》中的保险精确费率，必须建立三个政策机构，通过这些机构，联邦政府迫使地方政府共同承担洪水风险，强调"平衡各方责任是洪水风险管理的前提"。但委员会认为，萨克拉门托地区防洪局并不存在这些平衡："委员会看来，萨克拉门托地区防洪局选择小规模减灾规划及发展南托马斯的决定，是在没有考虑承担洪水残余损失风险责任情况下做出的。"它进一步阐述道："亚美利加河工程的受益者并不多，根据国家规定，萨克拉门托地区防洪局应多分摊投资"。委员会分析，如果投资完全由受益者承担，那么一个拥有 30 万美元财产家庭的税收将以每年 400 美元的速度持续增加 15 年。委员会最后建议：在联邦政府批准增加亚美利加河防洪经济援助之前，国会应确认"亚美利加河防洪到底是基于保护整个国家利益还是基于对社区防护提供援助。"

这份文件的重要部分是要求加快规划进程。委员会认为，仅考虑防洪效益而不考虑非防洪效益往往会使选定的规划流产。委员会指出，解决突出问题的惯例是，把水资源供给、环境保护和工程措施放在同等重要位置上。其结论为：主要决定因素是政治和社会方面的而非技术方面的。认为与其说是"哪种选择"不如说是

“哪种风险水平”,而这个问题必须用非技术性的“支付意愿”去回答。

委员会评估文件中对亚美利加河防洪的探讨包括了第 8 章中谈到的一些现象:

· 仅仅考虑工程防洪措施;

· 防洪标准不可信,研究已落后于时代,甚至现在的研究也已经过时了,研究方法已经变化了,结论也没有可比性;

· 应该预测到工程实施后堤防保护区的发展情况;

· 环境影响评估不够,生态损失还没有评估;

· 国会没有批准减轻洪灾风险的计划;

· 上游环境利益与下游经济利益相冲突;

· 地方政府收益极为明显,然而联邦政府的收益却不明显;

· 技术风险和不确定方法用于项目评价选优并不合理;

· 没有建立评估生态风险的方法。

9.2 密西西比河上游

几乎同时,陆军工程师团在中西部的 5 个区分部办公室各自制定了完全不同的洪泛区管理办法。早在 1994 年,陆军工程师团着手对密西西比河上游洪泛区管理现状进行了评价。由于初夏期暴发严重洪灾,市政工程和交通运输委员会授权了这项工作,并采用了 1993 年 11 月 3 日的《白宫 2423 号决议》,最后的洪泛区管理评价文件及 5 个附录在 1995 年 6 月公布。

该项工程范围非常广泛。首先,它评估 7 个无工程措施洪泛区管理规划并评价规划的变化对 1993 年洪水的影响;其次提出了建立水力学模型计算现有堤防和水库变化对洪水的影响;并将增加高地管理或减少防洪措施而可能产生的影响模型化。

洪泛区管理评价研究走出了非常重要的一步:尽管整个灾情通告中有 525 个县,但其中只有 475 个县位于两个研究的流域中(图 9-2)。洪泛区管理评价研究了河流边缘 125 个受灾县,通过确定漫堤洪水实际损失,建立了项目变化的基准线。洪泛区管理评价提供了仅适合洪泛区管理的资料。正如在第 3 章中所言,这些

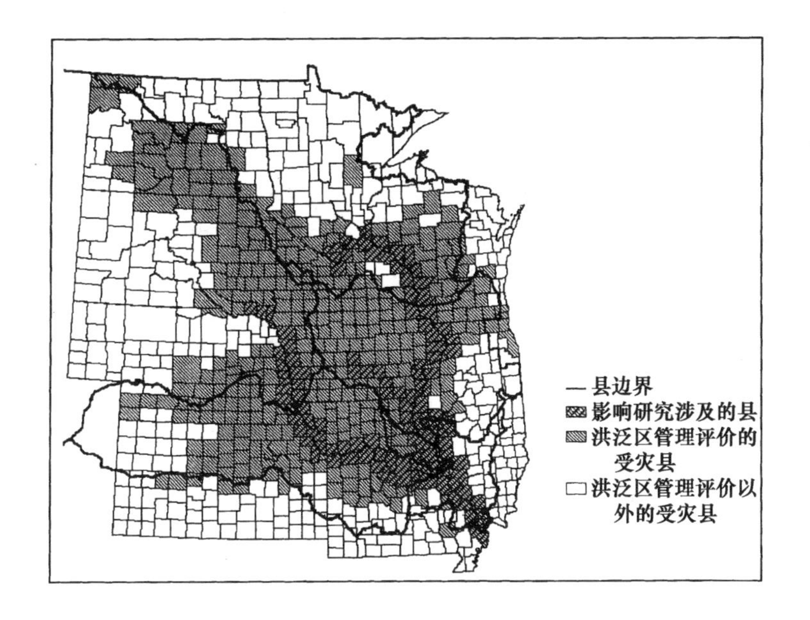

图 9-2　1993 年各县洪灾援助情况

损失在其他地方误传得很厉害，并且那份试图与洪泛区管理评价相提并论的详细损失报告也一直没有完成。

对 125 个县的洪水影响从数量上描述如下：

· 经济损失 308.7 万美元；

· 联邦政府援助 158.3 万美元；

· 淹没洪泛区 10 867 km^2；

· 无森林覆盖湿地 1 478 km^2；

· 森林覆盖湿地 2 164 km^2；

· 淹没公共土地 1 588 km^2，淹没娱乐用地 2 km^2；

· 处于危险状态的重要设施 1 415 处；

· 直接受灾达 13.48 万人；

· 受灾地区达 293 个；

· 受损或处于危险状态的住宅 42 743 栋。

这些项目在陆军工程师团参与的 5 个区中有所限定，虽然区域的选择、显示和结果在单独报告里论述时不很明确，但"基准线位置”有了眉目。

评估非工程措施的计划有国家水灾保险计划、州计划、地方计划、联邦减灾计划、灾害救济计划、湿地恢复及农业计划。报告在每套计划中假设了3种变化情况,并用矩阵显示这些变化怎样影响基准线位置。结果令人非常失望。计划中假设的一些变化在全国并不平均,在许多地方,不可能量化各种影响因素,而且整个过程也毫无规律。调查研究结果与本领域工作者观点一致,与其他任何研究结果毫不相关。下面是计划变化如何影响1993年洪水的结论:

· 拓宽国家水灾保险计划范围有利于减少灾害援助;

· 地方洪泛区管理措施没有发挥重要作用;

· 按500年一遇防洪标准建立的重要保护设施可以避免洪灾损失;

· 增加州政府移民资金将减少整体损失,将联邦政府分摊的移民资金份额从50%提高到75%将产生一定的影响;

· 把减灾费用转移到其他政府或私人团体,可以降低联邦政府费用;

· 湿地重建计划中以10%~25%的比例恢复湿地将增加环境效应,但对整个洪泛区农业用地影响不大(8%);

· 保险仍然享受补贴,因此从农业灾害援助转移到农业保险并不能减少政府费用。

令人遗憾的是,这部分的分析过于严密和复杂,在一定的经济、社会条件下及有限的时间内,不可能实行。

水力模型产生了更有趣的结果。研究的4种农用堤防的方案为:①清除所有堤防;②外扩所有堤防,使洪泛区至少拓宽1 500 m;③加高较低的堤防并在较高的堤防上开槽,防洪标准定为25年一遇;④把所有堤防加高到能防御1993年洪水。对另外几种假设情况也做了分析:清除所有水库;减少上游流量5%~10%;开展土地管理和湿地重建。这些方案分别报告给陆军工程师团的5个分区,但将最终结论与单项分析联系起来往往很困难。

洪泛区管理评价总结防洪方案选择时认为,清除所有堤防将其防洪标准降至25年一遇，实际上减少洪灾的潜力很小。洪水水位降低了，城市损失相应减少了，而农业和环境损失则相应提高了。

将农用堤防防洪标准限定为25年一遇将会导致密西西比河降低水位10 m，其入海口附近降低水位0.6 m。另外，如果加高所有的农用堤防以防御1993年洪水，那么可以避免所有农业损失，但城市财产损失将增加许多，如圣路易斯区就得花56亿美元来重建。提高堤防将产生综合效果：可以防止一些地区漫水，但是下游会出现洪水过多现象，原先许多堤防保护的农业利益将受损失。许多地区报告认为清除现存水库将导致主要支流的实际损失增加；城市堤防漫水；堪萨斯城的堤防被淹将导致陆军工程师团损失增加500%。但罗艾克兰区的报告指出：密西西比河干流的损失将减少。4个地区关于减少高地流量的总结报告令人迷惑：他们赞成降低水位，但没有评估由此引起流量减少的损失。圣保罗区的报告认为，流量减少5%和10%时，洪灾损失将减少2亿美元和4亿美元。根据上游土地收益计算，其值分别达12.5亿美元和25亿美元。

根据洪水水位变化评估其对经济的影响相当困难，因为要依靠土地利用及其他相关变化的假设。单纯地把这些变化与环境损失和收益联系起来是不可能的。陆军工程师团仅仅能够计算出被淹的土地数。因此洪泛区管理评价只得承认环境影响评估仍存在问题，认为清除堤防将可使农业用地恢复到自然状态，通过湿地重建减少流量以及这两种措施将产生环境效益是没有根据的。我们了解这些方案，在一篇声称定量分析的评估报告中认为这些方案并不合适。这种评价模式很难解释清楚，它不可能正确地估计各种变化情况对环境的影响，也不能评价环境效应，而这些影响因素恰恰是环境资源清单中的内容(详见第8章)，从而限制了其应用。因此认为“洪泛区管理评价不能评价洪泛区内洪灾对环境破坏的影响”。

洪泛区管理评价广泛邀请公民参与研究，组织了3个系列会议，参与研究的公民中有12人是1994年6月开始参加的；在11月份又召开了3个会议，至1995年4月结束时，共召开了11个类似以上的会议。在1994年6月会议上,代表农业利益的人们要求修建更多堤防;环境保护主义者则要求采取非工程措施;大家一致要求政府间多开展合作,人人都应对1993年洪水有更清醒的认识。11月会议有514人参加,公众关注的问题包罗万象,笔者参加的一个会有3位市民、10位陆军工程师团人员,提出了很多问题。1995年4月会议提出了多数公众反应强烈的问题,在这次会议的最后,543名与会者要求对最后报告中的一系列方案和措施进行系统评价。365个问题对每个区域均进行了独个分析,整个问题按区域分布如下:圣保罗区19个,罗克艾兰区145个,堪萨斯城76个,圣路易斯88个,奥马哈区37个。虽然报告中描述了每个区的问题,但按照与会者的隶属关系来看,只有罗克艾兰区的与会者可以完全代表自己。罗克艾兰区组的人员主要由农业、政府和私有业主的代表组成,其中87人是农业方面的代表,仅14人是私有业主及政府的代表(其他的没有统计),因与会者太多而没有达成一致意见。87名农业代表中,过半人数对方案及措施的评价如下:

· 评价高者认为应采取加固农用堤防、城市堤防的措施,保护重要设施,保留陆地湖泊;

· 评价低者认为应采取降低农用堤防的措施;

· 评价非常低者认为应重新制定保留湿地政策,限制防洪、清除农用堤防等措施。

除了重新安置和减灾规划外,其他的反应就不足为奇了。有些措施过多考虑环境保护而损害了农民利益。了解罗克艾兰区会议上替代方法的提出、讨论和认同的过程是非常有趣的。特别值得一提的是,其他区域少数农业代表并不同意这种评价。结果表明,如果能收集更多样本的话,公民参与作用会更大。由于资料中存在极小值,统计分析数据和图表看起来很难使人信服。例如,用6个柱状图说明19个支持者的情况,这种过多的分析实际上是误导别人。

尽管报告中存在一些问题,但洪泛区管理评价报告中有许多有用的东西,特别是关于重要设施内容。整个洪泛区经济损失(30亿美元)中市政设施损失占了几乎一半(14.47亿美元),主要包括商业和工业建筑、交通和公用设施。陆军工程师团提醒,“这些设施的实际数目为 632 个并不可信”,认为重要工程、废物处理设施、主要桥梁、军事装备和学校等设施更容易损坏。同时也就某些问题提出了有益的建议:如开放下游分洪河道可以避免修筑更高堤防;减少上游泄量可以提高现有堤防防洪能力。这份报告随国会使命的完成而终结,但洪泛区管理评价的作用仍在继续,报告本身为界定这个问题跨出了非常重要的一步。表 9-1、表 9-2的资料取自洪泛区管理评价报告。

表 9-1　　1993 年洪泛区洪灾损失统计

项目	洪泛区 1993 年洪灾损失(亿美元)	百分比(%)
城市居民	6.62	21
城市其他	14.47	47
农村/农业	9.78	32
总计	30.87	100

表 9-2　　1993 年洪泛区受灾面积统计

土地	受灾面积(英亩)	受灾百分比(%)
城市	73 920	3
农村	1 502 685	56
其他	1 108 676	41
总计	2 685 281	100

洪水漫坝淹没了 1 万 km^2 土地,68%的损失发生在洪水淹过的 3%的土地上,其中甚至约 70%没有居民。另外 32%的经济损失由占土地面积 56%的农业用地渍水所致,其余 41%的土地面积可以认为基本没有损失,主要是洪泛区中的森林、湿地、水域和其他地方。如果详细报告公布,那么评估 1993 年夏季大洪水实际损失的方法就会大大推进一步。

洪泛区管理评价告诉了人们什么不能做。特别就时间和资源方面的限制提出了存在的问题,这些意见可能被其他机构采纳或可能在其他地区应用。研究表明,人们还没有找到一种方法评价政策和非工程措施防洪规划的经济影响,而且评价防洪工程经济影响的方法不能用于评价环境影响。当然,我们早就知道这些,而奇怪的是,当陆军工程师团要求开展这方面研究时,国会竟授权给了它,这真是个奇迹,陆军工程师团将如何利用它呢?

第 10 章　远景规划

在审视洪泛区管理的经验时，发现有一些是今后洪泛区管理应认真考虑的。

(1)大规模兴建防洪工程的计划有效地防止了亿万美元的损失。在美国许多地方，特殊的地方性防洪问题业已解决，但国家的目标是要从宏观上减少洪灾损失。据说，这些洪灾损失正在增大。一些研究者已经意识到，虽然国民生产总值的增长比洪灾损失的增速快，但情况有可能变得更糟。《1936 年防洪法》和随后所有法规的出台，目的都在于减少政府的费用和减轻洪灾中灾民的痛苦。兴建防洪工程后，残余洪灾损失增大。目前缺乏相应的非工程措施来杜绝洪泛区开发中存在的这些问题。在将近 1/4 个世纪里，一些研究人员一直在要求限制洪泛区开发以降低洪灾损失，但迄今为止开发依然在继续进行。这虽然与时下正在进行的有关生态保护的讨论历时相差无几，但从整体上来看仍是纸上谈兵而已。联邦政府发现，最好的办法是购买洪泛区土地，才能减少天然洪泛区的洪水损失和破坏。

(2)由于缺乏有关洪灾损失的确切数据，所以，也就难以断定洪灾损失的大小。据估计，许多地方的洪灾损失正在增大，或至少可以说，增大的数量超过减小的数量。由于没有洪泛区利用的数据，因此无法确切地知道洪泛区开发活动正在扩大的地点和程度，但可以肯定洪灾损失正在攀升。又因为没有洪泛区所有资源的原始环境数据，且对相关生态系统的状况也不十分了解，因此，不能准确知道洪泛区土地面积是扩大还是缩小。尽管不知道洪灾救灾款的具体数目，但它无疑是管理洪泛区所能使用的一笔最昂贵的款项。这些推测或许准确，但却无法予以确认。

(3)洪泛区管理计划的目标尚未实现,但由于从未对它们的运行情况进行核实,所以暂时还不能说这些计划没有效果。地方政府对洪泛区管理无所作为,是因为缺少受过专业培训的相关人员,因此要抓紧对地方官员进行培训。随着洪泛区居民财产价值的增加,必须抓紧开展洪灾风险信息收集活动。一些人曾经抱怨美国陆军工程师团兴建的那些导致残余损失增大的工程,但农业方面所建工程的效果也是类似的。虽然可以利用效益费用比来选择工程并贯彻防洪政策,但却没有对这些数据进行过测试以确定其真实性。

(4)洪泛区管理政策越来越偏离实际。20 世纪 70 年代以来,提出以生态保护为目的来管理洪泛区的主张业已成册,但直到现在,也没能实现这个目标。要在洪泛区管理中把生态学和经济学目标统一起来,表明这两者之间似乎不存在冲突,一些研究者还在数据不齐全时设计了复杂的计算体系来进行分析,但实际上却无证据可证明这一点。在规划者心目中,非工程措施所受欢迎的程度远比在洪泛区管理中的实际应用的工程措施受欢迎的程度高。联邦政策法令对州和地方政府的职责进行了规定,州和地方政府则对其在联邦政府中所充当的角色进行了重新定位。联邦政府要求对那些至今尚未明确管辖划分的地方洪泛区进行调整。在地方政府没有制定维持河流水文测量网职责的办法时,彼此间应建立密切的合作伙伴关系。

10.1 效益费用比

在防洪政策的制定过程中,通常情况下的第一反应是怎样选择最佳的防洪工程。防洪工程明显地改善了私营业主们的经济状况,以至于美国在经历了一个世纪的时间后才乐于接受防洪是“大众福利”这一事实。私营业主们投资兴建防洪工程保护他们的财产,并从中获取效益,再根据这些效益费用比来对拟建工程的取舍作出决定。尔后共同管理排水区,并一道达成共识。

但由政府投资,而使私营业主随后获利时,合理决策的基础就丧失了,事实上就演变成为议员拉选票的工程。那么,他们就会利用这些机会并且让他们看中的选举人承建防洪和排水工程以此作为奖励。《1936 年防洪法》对此类问题规定，任何一项工程的效益费用比至少应大于1.0。虽没有提供一种机制来确定何为最佳工程，但它实际上提出了鉴定工程优劣的准线，对防洪级别问题则未做阐述。

1973 年《原则和标准》把防洪政策向前推进了一大步。该法规定，依据国家经济开发的条款对水工程进行评估时，除主要依据效益费用比进行分析外，还要依据《环境质量法》、《社会福利法》以及《地方开发法》的有关条款。在实际动用时后三项条款的情况要复杂一些。10 年后《原则和标准》被《原则和指南》所取代。《原则和指南》对国家经济开发条款的重要性进行了强调，不仅要求首选工程的效益费用比大于1.0，还要求所提议的选择方案有最大的效益费用比，不考虑总费用，但要加强环境管理。对于防洪级别的问题仍未做阐述。

在亚美利加河流域中，国家经济开发工程原本可防御 400 年一遇洪水，但因其过高的费用致使地方投资者选择了只能防御 200 年一遇洪水的方案。由于《原则和指南》允许地方投资者作选择，使其最终选择一项不同于国家经济开发工程且效益费用比小的方案。亚美利加河工程将环境损失包括在减轻洪灾损失费用内。国家科学研究委员会报告批评地方投资者选择较低防洪级别的行为是不负责任的。该报告指出，防洪级别较低，尤其是社区新规划的开发工程的防洪级别较低时，就会造成未来的残余损失费用较高。不过，地方投资者在降低工程总费用、实施成本分摊政策时，仍希望地方政府能注重保护公众利益。亚美利加河工程就反映出地方虽愿意实施成本分摊政策，但防洪级别和残余损失等问题也就随之变得更复杂。

回顾过去，对任何一项防洪工程而言，残余损失都可能是最重要的一项费用。在一项工程完工后，通常采用的评估方法是，弄清在防洪工程保护下随后新建工程的数量，以及出现超设计水位洪水时损失的大小。委员会批评萨克拉门托地区防洪局的决策不负责任，认为地方投资者没有考虑到防洪级别较低会增大洪灾残余损失。由于残余损失的实际费用就是救灾费,防洪规划中又没有预测和处理残余损失的机制,所以,这些救灾费届时都将由联邦政府承担。

《原则和标准》要求选择国家经济开发工程,为联邦政府提供了一种机制来最大限度地利用资金,而先不考虑总费用。一旦地方投资者偏向低费用做出其他选择时,会由于偏向削减费用而违背上述原则。亚美利加河流域报告中提及的选择工程的第三个原则是,由联邦政府划定防洪级别上限。如何选择最佳工程和联邦政府在工程中应承担多少责任是两回事。

10.2 防洪级别

人们通常认为,联邦政府负有保护居民免遭100年一遇洪水侵袭的责任,实际上并非如此。《国家洪水保险计划》把100年一遇洪水视为要求地方政府防洪的危险等级,在100年一遇洪泛区范围内可能有洪灾风险,为减少洪灾损失,就会劝阻居民不要在此永久居住和建房。这时应坚持效益/费用原则,如果此洪泛区内的公共计划的开发风险很大,就应向各级政府和居民个人征收各种相关费用。

不过,联邦投资的防洪工程措施用于所有的风险级别。效益费用比最大的亚美利加河方案可防御400年一遇洪水,即使是由地方投资者选择的费用较低的方案也可防御200年一遇洪水。美国的环保机构认为,对于由公众投资的亚美利加河工程的防洪能力低于100年一遇洪水,提议选择满足100年一遇标准且造成的环境损失最小的方案。首先,这个选择过程应有一个真正限制环境衰退的机制。目前这些过程对生态损失除了必须进行赔偿外没作限制。其次,限制防洪级别将导致兴建小型工程,几乎可以肯定,这些工程对环境的破坏极小,不过却违背了国家经济开发费用效益最大化原则,且根本未考虑洪灾残余损失问题。

在对亚美利加河流域报告中所审查的问题进行选择时,显然缺乏一个指导性原则来管理萨克拉门托市的联邦资金,以确保达到指定的防洪等级、最大的效率费用比、最小的环境损失、最小的总费用或限制残余损失。毫无疑问,审查委员会适时且有针对性地向国会提出了一个问题:为什么要采用公众纳税的形式来提高萨克拉门托市的防洪能力呢?这只能表明,如果萨克拉门托市的居民要想获得防洪效益,那他们就应为此掏钱。当然,把防洪的财政责任转移到由地方受益者承担的措施只是进行尝试。但即使这样,联邦政府仍有责任支付残余损失,并且可能失去对保护生态系统的影响力。

10.3　生态方面

效益费用比无法且不可能反映实际的生态费用或效益。随着现代化会计系统的发展,生态价值将会更易于接受和表述,但不可能演变成具体的数量来计算效益费用比。效益费用比可包括减缓环境破坏的费用,但这种减缓措施与环保是有着本质区别的。此外,人们常说,经济上保护的级别越高,环境损失就越多。然而,生态价值是洪泛区管理中最为贴近公众且能直接感受的价值,联邦政府应加以重视。即便地方受益者乐意为获得经济效益而投资,但应相信,他们对谋求生态效益是不会轻易花钱的。

10.4　一些教训

从以上分析可以获得以下一些教训:

(1)由于多种原因,流量—频率关系不是十分可靠。亚美利加河审查委员会收集了一些非随机的洪水证据来解释 1959 年以后的流量—频率关系变化。如果洪水没有随机性,那么用概率或频率来描述洪水就没有意义。不过,随机性概率的大小反映了随机事件发生的可能性的大小,在预测短期洪水方面作用不大,并且有时还可能造成误导。一般而言,大洪水比小洪水的发生概率低,但要确定出一条基线,并指出洪水将到达该点(平均为 100 年一遇洪水)的行为是毫无意义的。无论能否应付洪水风险,但目前的信息和技术还没有那么完善。

(2)如果地方政府可以解决这些问题,那么他们将对洪泛区的开发进行调整。由于其所制定的决策多是因经济发展和税收基础增大的需求而造成。联邦政府宣称他们是不会改变这种情况的。博尔德市和萨克拉门托市正是这样两个例子,地方需求使他们制定了与国家的防洪政策背道而驰的洪泛区管理政策。

(3)在洪泛区居住和工作的人们并不担心干旱,也不为何时干旱结束而难过与不安。他们并不依据洪水相关的风险来理性地作出决定,不会比在其他地方居住时考虑得多。就好比没有人会因头部受伤的概率是 1/7 而不让孩子骑自行车;没有人会因为飞机失事的概率是1/2 200 000而拒乘飞机一样。如果某人的房屋建在洪泛区,那么,他心目中的概念是“家”而不是“洪泛区”。

(4)目前没有也许永远都不会有一个可将生态价值换算成货币价值的计算系统。对于大家需要而又无法制作出的东西,宁可减少对这些东西的需求,也不要为不可能实现的事情而耗神费力。只要把效益费用比作为选择防洪工程的取舍依据,那么,在规划过程中将很难对生态价值作出实质性考虑。

(5)如何合理使用救灾费用是管理好洪泛区的最大难题。而征地不失为保护洪泛区生态系统的惟一的好办法。

(6)尽管《国家水灾保险计划》所制定的一切措施都是有益的,但尚未实现其最终目标。社团已依照绘制的蓝图调整了洪泛区开发计划,业主们据此购买基本保险单来承保在洪泛区的居住风险。洪泛区的开发活动还没有停止,洪灾损失的责任还没有完成从联邦政府向业主的转移。在 28 年后,如果《国家水灾保险计划》能将这些问题解决,那么也就会有可能实现最终目标。

(7)政客们总是到了最后时刻才实施这些系统。国家有可能成功地解决大部分的政治分歧,但每次洪水暴发时,一些政治原因就会削弱公共计划的最佳方案和效果。联邦政府从来都无暇过问代表国家根本利益的最佳计划或工程是什么;个别议员则会偏向选择有利于其取宠于选民的工程,而且,他们之间还会因某些权益而进行交易。如果所有参与者权利平等,那么,这种交易过程可能就会导致利益均分,尽管这个利益本身是一种公共利益。也许发生在亚美利加河流域的这种交易过程可能会产生争议,不过,这个过程的效率非常低,以至于不能与那些试图解决洪泛区管理问题的过程保持同步。

(8)用于洪泛区管理计划的资金将会越来越少。1992年联邦政府的总开支大体上可分为以下几类:①52%为直接现金支付个人;②13%为国债利息;③18%为保护国家免遭外来袭击;④1%为国际项目;⑤16%为提高公共福利的一切项目。国会预算办公室(CBO)计划前两项的比例应分别增至65%和16%。到2005年时仅留19%的资金用于其他3项。在这种情况下,根据国会预算办公室的计划,联邦债务总值将由34 000亿美元翻一番,达到68 000亿美元。年均赤字将从2 030亿美元增至4 620亿美元。由于国会和政府都将优先考虑如何减少财政赤字问题,所以这些计划根本无法实现。这样,大量节省开支势必使洪泛区管理计划遭受影响。

10.5　远景规划

实际上,如果外界环境不发生实质上的改变,那么,未来最可能的情况是,洪泛区管理事务将继续维持原状。像《Galloway报告》这类举措对现有计划的影响可能很小。即使这些计划还不错,也很难实现最终目标。新的住宅和商业开发计划将使洪泛区中那些未采取防护措施的地段的潜在洪灾损失增大。设计时的计算错误和极端降雨将导致每当洪水超过设计水位时(这通常比预计的要多)就要提高河堤后及水库以下的残余损失费。生态损失增长值亦可能随着新修工程的减少而逐渐降低。但在洪泛区征地计划实施过程中,将只增加很少的利润,推动其进程主要靠的是水灾救灾费的投入。在这个令人失望的方案中,研究人员所能做的只是:

(1)对所要解决的问题要有更为详尽的了解。广为收集有关洪灾经济损失的数据并对生态系统进行深入的了解。

(2)以效益费用比为指导而不视为标准,并按相应规划来实施其过程,对事后取得的利益平等分配,尤其是生态利益。

(3)尽可能地减少一切救灾费(个人的、公众的和农业的)。

不过,外界环境也可能有实质性改变,至少还有出现另两种其他情况的可能性。一次真正的预算危机发生概率同每次随后出现的联邦政府减小财政赤字的失败概率一样。联邦政府引人注目的财政投入也会从洪泛区管理得好与差两个方面来采取不同举措。

最不理想的情况是,通过大幅削减计划而不直接拨款来平衡联邦预算。在这种情况下,保留个人、公众和农业救灾款,这样就增大了洪泛区土地价值,还减轻了洪泛区业主们承担的居住和工作风险责任。但因此建筑工程、防洪和征地的资金将被取消;国家水灾保险计划和其他非工程项目的资金将被削减以至于效果不佳。

在出现联邦预算危机后,较为理想的情况是,直接根据项目规模大小,按比例来削减拨款额度和工程预算。较大项目将砍掉大部分费用以尽量节省资金,不再兴建防洪工程以避免基建费。总之,减少洪灾救灾费,动员洪泛区的居民撤离,其财产由州和地方政府出面保护。这样,工程费用的经济损失、残余损失、洪泛区征地和洪灾救灾费将会大大减少;同时,也可减少生态损失。

当经费紧张时,生态价值是推动不了私人或公共项目的。不过,生态保护目标可通过承认洪泛区管理经济现状的项目得以实现。这些现象表现为:①防洪工程造成的洪灾残余损失不依据效益费用比来计算,而没有计算这些损失,效益费用比就不能反映出实际的经济费用;②花在洪灾救灾项目上的实际费用远比他们支出的多;他们虚增洪泛区财产价值,使征地计划的费用太大,从而使非工程无法实施。如果将这些因素都计算在内,那么,我们可使洪泛区在经济上得以最优利用,就可使农村洪泛区恢复到原来繁茂状态,而腾出资金来最大限度地帮助受灾居民搬迁到地势较高的地方。

生态利益与经济利益之间是不可能进行竞争的,但可以从收集到的更多数据,更好地了解自然生态系统,以及在管理过程中发挥更大作用。即使采用效益费用比,也不能得到任何好处。由于用 100 年来调整洪泛区不太现实,以至于无法正式施行。但要通过对不充分数据进行技术分析来制定较正确的制度,有效协调政治性的争端又为时太早。因此,我们可以这么认为,由于经济方面的原因,要把这些尝试转变成洪泛区管理,使之恢复原貌并带来一些生态效益还需要很长一段时间。

附录1

1936年防洪法案政策说明

1

河流洪水泛滥扰乱了人们正常的生活秩序，造成了生命和财产的损失。洪水冲刷土壤，毁坏航运、高速公路、铁路和州际商业要道，阻碍了各种设施的正常运转，对国家的利益造成了威胁。因此国会要求，在可通航河流及其支流的防洪问题上，联邦政府必须和州、州属机构和地方政府之间协同努力，研究采取措施提高流域的防洪能力。无论是哪个通航河流或支流，只要防洪效益费用比大于1，联邦政府就应该支持或参与其防洪建设，以免洪水危及人们生命财产安全和社会稳定。

2

今后，为防洪和综合目的进行的河流、航道和其他水道的联邦调查和改造活动必须依法行事，由国防部负责，接受国防部总工程师的监督。流域的联邦调查、径流调控、土壤侵蚀防治等也同样要依法行事，并由农业部负责，国会法律另有规定的除外。

在关于调查研究的报告中指出：国防部和农业部应以第1部分提出的基本原则指导防洪工作，维护国家利益。如果前面的授权和调研不相抵触，则河岸开垦活动可立即进行；或今后由内政部

注：本附录摘自美国公元1790年8月11日至1939年1月2日期间有关加强河流和港口管理方面的法律。

垦务局根据普通的或特别授权的法律执行。

3

按照法案授权,只有州政府、州属机构和地方政府同意以下要求时,才对防洪工程建设拨款。

(1)无偿向国家提供工程建设所需的所有土地、出让其使用权、路权等权益;

(2)通过兴建工程可以达到免遭或减轻洪灾损失的目的;

(3)建设完成后,按照国防部的有关规定,保证所有工程的正常运行和维护。

具体如下:

· 当大坝已经批准兴建,坝址也已选定时,无需等到办理好土地转让使用权、路权等手续即可开工;

· 无论何时对于一项工程或一个项目,应由州政府、州属机构和地方政府共同负担转让土地及其使用权、路权等所需的费用,当这些费用超过预计建设费用时,联邦政府甚少退还超额部分的一半;

· 任何工程或项目均可以增加所在地的土地和财产价值;

· 国防部应当确定土地及其使用权、路权评估价值的分摊比例;州政府、州属机构和地方政府也应该了解自己从中获取的收益;

· 国防部估计,无论何时一项工程或项目应使土地和财产增值的比例不低于75%;

· 无论何时不能干扰由国会授权的任何水库和防洪工程的建设,并从现在起执行。

4

国会同意任何两个或多个州订立条约或协议对防洪法案授权的任何工程或管理活动进行合作,共同对付洪灾,避免人们生命财产损失。其原因是河流或其支流跨越两个或多个州,因而这种合作形式和比例分摊方式可能被一些州和国防部接受,包括建设和维护费用、损失补偿费用、买断路权、土地及其使用权费用的分摊等。实际上,除非条约或协议中规定所有资金由国防部负担,或者加入条约或协议的州可以通过税收筹集到足额建设资金按条约或协议行事,否则这些条约或协议就失效。

附录 2

洪水风险管理和亚美利加河流域概要

萨克拉门托河和亚美利加河交汇于加利福尼亚州的萨克拉门托,萨克拉门托整个地区都面临这两条河流的洪灾威胁。该地区 40 多万人及 370 亿美元财产的洪灾风险很高,其中包括大部分市中心商业区及州议会大厦群。尽管国家、州、地区、地方各级决策者都认为应合理使用洪泛区降低洪灾风险水平,但恰当的风险水平及达到控制这一风险水平的方法尚未达成一致意见。

1991 年美国陆军工程师团萨克拉门托区完成了亚美利加河流域调查,通过讨论亚美利加河地区洪水危机影响,提出了考虑一系列防洪措施的最优洪水控制战略。但此举却招致了严厉的批评,一些是技术方面的,一些是政治方面的。结果,国会指示萨克拉门托区重新研究其结果,并另外筹措所需资金。为响应国会指示,萨克拉门托区实施了补充研究及实施计划。在这份报告印出时,这些工作仍在继续进行,他们收集到了更加丰富的图片资料,发现了更多减小流域洪水风险的方法,与 1991 年相比,现有资料更加广泛而详尽。

但基本问题尚待解决:怎样才能平衡替代方法中互相联系的潜在收益、影响、成本和交替使用之间的关系?怎样才能为流域与居民选择最好的管理规划?最后的决定往往不是取决于科学和工程,而取决于公众的判断,这就需要参与者求同存异,权衡利弊。最后需要地方政府、加利福尼亚州政府、美国陆军工程师团及国会领导就如何应付洪水危机达成一致意见,同时也要求地区利益集

注:本附录摘自《洪水风险管理和亚美利加河流域》的部分章节,1995 年。

团协同努力。

1　委员会的职责

由于批评意见太多,在国会要求陆军工程师团对萨克拉门托地区防洪替代方案重新进行论证的同时,国会议员还要求另一个机构来评审这些分析方法和规划技术的正确性。于是国家工程研究院组建了一个特别委员会——亚美利加河流域防洪方案委员会,评审1991年的亚美利加河流域调查,评审时要考虑偶然事件、水文模型,并分析已提到的7个防洪方案的可行性。有意思的是,委员会并没有要求推荐一个最优方案,相反要评价其依据的科学和工程学知识,因最后的战略决策是建立在这些知识基础上的。委员会可考虑亚美利加河规划的激烈争论,但要对其他面临相似问题地区的规划提出建议,这些地区是建于洪水易发区、面临很高的洪水风险的城市。1993年中西部洪水和1994年及1995年大洪水给人们敲响了警钟:在洪泛区建城市对国家造成的后果多么严重!

委员会的职责中隐含着一个难题。1991年关于亚美利加流域的调查就有很大的争论,要求委员会专门解释那些文件。由于文件争论太大,国会不得不要求萨克拉门托区重新修订。结果,当委员会收集分析资料时,推进1991年报告的工作同时也在萨克拉门托区、萨克拉门托防洪局、加利福尼亚州垦务局、州水资源局进行。

在报告里,委员会对在1991年亚美利加河流域调查中采用的分析方法进行了解释,认为在能采用的地方,这种分析方法仍是正确的。另外,委员会还解释了正在用来评估萨克拉门托洪水风险及评估替代的洪水风险管理战略的新分析方法。实际情况证明这项工作困难重重,因为委员会的研究、萨克拉门托分区及萨克拉门托地区防洪局的工作几乎是同时进行,没有有关方面的文献资料可供参考。

与工作相关的大部分资料是通过非正式渠道获得的。委员会与联邦及州机构的技术人员都进行了座谈,详细了解了目前分析所采用的方法和资料，听取了各利益集团的意见。1994年，新文件《选择方法报告：加利福尼亚州亚美利加河流域》（萨克拉门托地区防洪局，1994年）应运而生。但这份过渡报告不够详尽。为重新评价萨克拉门托区的技术分析，国会可能要求对即将通过的《草案补充报告和环境保护文件》进行评审，这份文件将全面更新1991年的亚美利加河流域调查。

2 三个假定

当委员会评审萨克拉门托区的亚美利加河流域防洪规划时，委员们都基于一定的假定（这些假定是基于经验和专家，一般认为是正确的），但这些假定支配了他们的思想，这些假定是：①降低萨克拉门托洪水风险是关键；②对亚美利加河流域防洪不宜采取单一策略，而应按照国家政策进行决策，通过实施多样化战略化解洪水风险；③技术问题不能与政策制定相分离。提到这三个假定可以了解委员会的评审范围及其报告结论和建议的本质，这些观点都在报告的章节里作了简要概述。

1.降低萨克拉门托的洪水风险是关键

切实采取行动降低萨克拉门托地区的洪水风险已十分紧迫。萨克拉门托的洪水高发区发展很快，资产也很多，这主要是历史原因造成的，目前也很难解决。10年过去了，1986年2月的洪水表明，城市现在的防洪工程很不够。尽管一些必要和详尽的研究延缓了决策进程，特别是在公众参与研究时，但应该言出必行。由于种种原因，公众在萨克拉门托地区是否需要更高水平的安全保障问题上没有达成共识。推进南托马斯盆地洪泛区发达地区防洪工作的建议比萨克拉门托市中心和国会建筑群的建议还多。加利福尼亚州和国家需要重新彻底调查其公众决策方法。调查员广泛深入调查和仔细研究各种观点当然是必要的，但是耽误时间本身就是低效率、高成本且具有潜在危险性的。

2.国家洪水政策鼓励多途径化解风险

不能孤立看待加利福尼亚的防洪，而应将防洪视为水资源调节和综合利用系统的一部分。该系统是在许多政府机构支持下，经过很长时间才发展起来的,现在面临着很大压力。当委员会完成了评估亚美利加河流域下游的洪水风险任务时,回顾最近的法律和政策发现,国家过去25年来洪水的范围拓宽了。几十年来,对洪水风险的显著反应就是建设一些大的防洪项目——坝、水库、堤防、多级渠道——用于蓄水和防洪。《1968年国家洪水保险法案》的公布是国家防洪政策的分界线,因为它提出了一些非工程措施——洪水保险、洪泛区管理和方案优选——作为国家洪水政策的主要支柱,增加了一些至今仍广泛使用的非工程措施,包括洪水预报、泄洪计划、公众教育以及洪泛区内商业建筑和住宅自身防护等。

后来,《1994年国家洪泛区管理统一规划》(联邦应急管理局,1994年)也要求洪泛区管理从工程方法转变到洪泛区重建的综合战略。在白宫的指示下,洪泛区管理评审委员会准备了一份《1993年美国中西部洪水的评估》,该评估呼吁对洪水作斗争的各级政府和个人应"共担责任",也非常赞成采取一些非工程措施,如在可行的地方将建筑物迁出洪泛区,恢复洪泛区或重建湿地等。

国家洪泛区管理评审委员会指出(1989年):

洪泛区管理现状不容盲目乐观,实际情况复杂,有纵容的倾向。一些社区制定了一些制度,但平均每年洪水损失仍呈上升趋势,甚至上升得更快。一些制度写在纸上,并未落到实处;或者实际上并不受人欢迎。总之,实际情况远低于要求,或未达到预期目标,或达不到当前政策和措施的要求。

规划和决策者应当谨慎行事。对亚美利加河下游洪水危机来说,单纯采用技术或制度方面的措施是不够的。担当责任的联邦、州、地区及地方政府必须寻求各种综合措施,通过多途径化解洪水风险,使经济和环境损失最小化,最大限度降低洪灾风险。

3.政策制定的技术评价

委员会的评价是建立在假设的基础之上的,许多对1991年亚美利加河流域调查的批评是关于技术讨论方面的问题,通过批评家的评论可以更加明确技术价值。陆军工程师团、萨克拉门托地区防洪局都强调委员会应该努力支持技术讨论,目的是使萨克拉门托(包括南托马斯)通过政治途径使决策达到可接受的风险水平。尽管防洪规划和设计需要复杂模型、工程学和数据库系统,但却不能完全分为技术分析和政策制定两部分。

3 替代方案的确定和评价

当委员会评价亚美利加河规划时注意到,制定防洪战略最关键的一步是对所选择的替代方案进行详细分析。1991 年亚美利加河流域调查提出了亚美利加河流域各种防洪方案,并提供了防洪标准、费用、预期收益和环境影响等方面资料。该报告颇有争论,一些批评是基于对萨克拉门托区防洪失败的认识,认为要研究和评估替代方案,比如说因泄流能力提高,需要调整福尔瑟姆水库的运行方案等。在 1991 年亚美利加河流域调查和 1994 年替代方案报告中,考虑可供选择的防洪规划时,委员会主要关心这 4 个问题:①福尔瑟姆水库的使用;②奥本大坝的闸门问题;③迪尔克里克方案的可行性;④非工程措施是否妥当。

正如在第 3 章中详述的一样,委员会认为 1991 年亚美利加河流域调查很完整,尤其在补充了 1994 年替代方案报告后。一个关注的焦点是福尔瑟姆水库的营运政策,研究表明,福尔瑟姆水库蓄水能力更大。另一个关注的焦点是,在 1994 年替代方案报告中,即委员会并不知道如何考虑福尔瑟姆水库的实际运转情况,特别是不清楚对初始条件作了哪些基本假定。这些关注的焦点可在即将制定的文件中找到答案,但解决这些问题不应延缓规划的进程。

委员会注意到,尽管有其局限性,福尔瑟姆水库仍是萨克拉门托防洪体系的重要组成部分,应充分发挥其作用。为了与亚美利加河的变化相协调,变更福尔瑟姆水库的运行计划也很重要,因而即将批准的福尔瑟姆洪水管理计划尤显重要。

至于在奥本建一座干坝的可能性问题,委员会认为,如果建大坝,可开闭的闸门对大坝安全来说是必须的,它可使大坝运行更灵活。操作员可通过闸门操纵使福尔瑟姆大坝与其他防洪设施的运行保持协调,并通过控制水位使亚美利加河上游峡谷的环境影响最小化。

4　环境问题

减轻亚美利加河流域洪水危机的关键是如何使洪水对环境影响最小化。环境问题自1991年亚美利加河流域调查提出后一直是争论的焦点。争议最大的是评估潜在的环境影响方法和在奥本峡谷建滞水坝将对环境产生不确定性影响。

总体来说,从1991年亚美利加河流域调查对环境的展望来看,委员会发现它对潜在的影响论述并不科学,因而不能很好地支持决策,也不能帮助公众权衡减轻洪水损失替代方案中环境的影响。报告对环境影响的评价趋于保守,尤其是对上游峡谷的影响评价。亚美利加河下游任务小组(萨克拉门托地区防洪局,1994年)后来的研究报告(即1994年替代方案报告)在了解影响、方法选择、影响最小化等方面都有所改进。

综合过去的研究成果,认为不确定性主要是峡谷山坡的潜在影响和奥本水库蓄水后植被淹没影响的不确定性。如果水库管理时认真地考虑委员会的建议,组成一个多学科研究小组去设计和执行,指导闸门设计和运行,降低不确定性,那么可以真正达到环境影响最小化。

5　风险方法

陆军工程师团已采用了新的风险和不确定性分析方法,这是防洪工程规划和社区防护评估传统方法的延伸。1994年替代方案报告表明萨克拉门托地区的分析已经考虑了洪水起因的不确定性,例如福尔瑟姆水库的流量可以与其泄流频率、水位及堤防稳定情况联系起来进行调节。可以根据水文情况、水库运行与水文参数不确定性、泄洪水位与堤防性状的关系,推算出洪水风险。陆军工程师团总结了检查工程设计安全的因素,并对防洪规划计算的水力学问题和运行的不确定性问题进行了详细阐述。运用新的风险和不确定性分析方法,人们能发现一些影响因素,并调整到合适程度。

委员会总结认为陆军工程师团的风险和不确定性方法是一个

重要的开端,清醒地认识模型不确定性,将会更好理解洪水风险的不确定性,合理评价洪灾损失。因为现在亚美利加河流域防洪替代方案是该方法的首次应用,故方案的变更对亚美利加河规划很重要,可以肯定地说,陆军工程师团推出的这种处于试验阶段的方法也是最复杂的方法。

正如在第4章中所讨论的那样,这种新的风险和不确定性分析方法直接包含平均洪水风险及平均每年洪水损失计算中的水文不确定性,从而使评估的范围扩大。这样能使效益费用比的计算更为合理。第4章也提到了在水文、水力和经济分析过程中的风险、多样性和不确定性应当如何界定,以及在计算中应如何在保留残余损失风险和不确定因素的相关性前提下避免偏差。

委员会对萨克拉门托地区在亚美利加河研究中可靠性指标的计算提出了质疑。1994年替代方案报告特别令人迷惑,因为按一般防洪标准计算的洪水风险评估值与用新的风险和不确定性方法计算的评估值之间并无明显差别。但这些区别很重要,陆军工程师团需要研制一套科学的方法和高效的交流手段,以便对专业人员和大众传递洪水残余损失风险和不确定性情况。

6 堤防保护区的洪水风险管理

历史表明,防洪和洪泛区的发展之间有着明显联系。从20世纪30年代中期到60年代,堤防及上游水库建设的普遍形式是由联邦政府对防洪工程实行补贴,但洪泛区的持续发展导致洪灾损失继续攀升。其中原因很多也很复杂:洪泛区适宜建设,危险往往又看不到,联邦政府有时采取的保护措施又助长了其发展。例如,一旦筑起堤防保护洪泛区,就为其发展扩大创造了有利条件,反过来又要求提高防洪标准,这样循环下去只会加重社会负担。在预算紧张的地区,谁花钱来处理“防洪标准与洪泛区发展之间螺旋式上升”的问题日益重要。

亚美利加河流域洪泛区开发性保护面临的问题为是否将会导致如南托马斯盆地一样出现恶性循环的局面。南托马斯盆地是一块平坦的低洼湿地,约22 km^2,邻近萨克拉门托,位于亚美利加河和萨克拉门托河的100年一遇洪水标准的洪泛区内。盆地由一条66 km的堤防围护,区内主要从事农业,现有人口35 000人,主要地段已规划成新的房地产和商业区。虽然现存堤防可以在一定程度上减轻洪水风险,但南托马斯盆地面临着很大的残余损失风险。盆地位于亚美利加河及萨克拉门托河洪水位以下,当洪水冲溃或漫过堤防时,盆地就会像一个盛满水的浴缸。

根据地方政府计划,不管那些没有解决的和不能解决的洪水危机问题如何,政府仍准备对盆地大部分地方进行开发。很清楚,南托马斯盆地接近萨克拉门托,地理位置优越,但就其长期洪水风险来说,地势就很差了。升级现有的防洪体系,包括福尔瑟姆大坝重新运转、堤防扩建和其他正在进行的或可预知的改进,有助于降低风险,但重大残余损失风险仍会存在,因此南托马斯盆地的发展应服从联邦、州及地方政府对洪泛区管理的需要。另外,尽管有堤防防护体系,仍应让公众知道洪水残余损失风险情况。

7　水资源规划与决策

陆军工程师团寻求适合亚美利加河流域防洪措施的研究表明,需要对决策进行改革,委员会认为亚美利加河的教训值得全国其他地区借鉴。早期决策,如国会指示限制防洪工程用途,表面上是用来缓和争论,实际上却加剧了争论,因为要更多地关注公众利益。的确,许多人批评1991年亚美利加河流域调查除了防洪外不能作其他用途,并且指出这种单功能方法不利于更为完整方案的提出,特别是干坝方案的争论使得研究工作陷入困境。亚美利加河下游任务小组很大程度得益于萨克拉门托地区防洪局的帮助,它使环境恢复与亚美利加河下游堤防稳定性和运输能力之间的配合取得了进展,但解决替代方案的争端和亚美利加河上游的管理并没有取得预期效果。

当前亚美利加河的决策形势弥漫着个人利益。个人利益已融入政治和法律禁令中,因此与其说是推动进程,不如说是阻碍进程。尽管亚美利加河流域的规划进程中存在着一些缺点和问题,委员会意识到陆军工程师团已卷入了加利福尼亚的水管理争论中,政治争论常把技术方面的辩驳作为武器。但通过争论,一些地方发起者、联邦政府和州政府机构、非政府机构可以共同协作开发数据库系统和模型,加深对风险和替代方案的理解,并对替代方案进行定量分析,以便在最佳方案上取得一致意见。

亚美利加河的情况并没有什么特别之处,在近些年,陆军工程师团发现其提议已受到了挑战,因而需要寻求新的方法改进规划,以适应将来发展的需要。需改进的部分如下:①容许损失和洪水保险计划;②工程费用分摊;③洪水危机的信息传递;④水利工程规划;⑤国家水政策和水管理。

8 研究结论和建议

委员会的任务是评估一些科学和工程技术知识,这些将成为减轻亚美利加河下游洪水危机战略决策的理论基础,委员会也尽力研究对国家利益有关的洪水风险管理政策。与这双重任务相一致,委员会不仅要提出对陆军工程师团亚美利加河流域规划进程的调查结果和具体建议,而且还要对洪水风险评估的本质及其全范围内的运用情况作更广泛的评价。

在第7章中提出的详细调查结果和意见主要如下:①替代方案的确定和评价;②环境问题;③风险分析方法;④堤防保护区的洪水风险管理;⑤风险传递;⑥水资源规划与决策。第7章对调查结果和提议的论述较为详细,现将一些主要问题概述如下:

(1)总的说来,委员会发现在1991年亚美利加河流域调查以及后来补充的1994年替代方案报告中采用工程防洪措施是合理的。虽然能够采用假定的替代方案,但不能保证所有的方案没有问题。

(2)委员会没有也不能判断在奥本建一座干坝是减轻萨克拉门托洪水风险最好的方法。然而,委员会坚信如果建一座干坝,它必须建立包括一座便于操作的闸门以保证管理灵活性,保护公众安全,使环境的影响最小化。环境影响很重要,需要进一步研究,以认清大坝对峡谷环境,特别是对植被和山坡稳定的影响。根据这些可以制定运行策略,从而使大坝对环境的影响最小化。另外,委员会认为如果建一座大坝,大坝是调蓄特大洪峰的最后一道防线,从而降低了对峡谷影响的次数。

(3)为适应时代要求,陆军工程师团新的风险和不确定性分析方法需要改进。对河流模型不确定性的清醒认识将有助于加深对洪水风险和洪灾损失评估的理解。然而委员会认为,不确定性以其特定的方式表现出来,如平均洪水损失、洪水残余损失风险以及陆军工程师团洪水风险信息传递和社区抗风险能力等。陆军工程师团领导层要求组织包括外界专家参加的专题讨论会,以评价这种新的风险和不确定性分析方法。

(4)联邦政府水资源管理设施建设的决策一直是一个复杂的过程,受到诸如社会目标、研究问题的性质、经济等因素约束。应该评审联邦政府的亚美利加河防洪基本原则,同时国会应明确规定联邦政府进行经济援助是出于全国的利益还是出于对社区抗洪自救提供援助。如果联邦政府的援助目标明确,工程建设将推迟到萨克拉门托地区防洪局和联邦应急管理局及私人保险计划制订后。在南托马斯和该市新的发展区域应当购买适当费率的洪水保险。萨克拉门托地区防洪局也应实施减轻洪灾危机计划,包括洪水风险信息传递、洪水预警系统、疏散计划和修建便于疏散的高速公路及其他防洪设施等。

亚美利加河规划的基本问题是怎样减轻下游的洪水风险,并考虑某些降低洪水风险的方案。报告讨论了洪泛区管理者面临的不确定性问题,并提出了一些建议,也在一些方面作了补充研究。但看过该报告的决策者、机构官员和利益集团以需要补充研究为借口而拒不执行。现在是选择和实施降低亚美利加河洪水风险战略的时候了,虽然仍有一些领域存在着数据和资料不完整问题,尤其在环境影响方面,但这并不影响决策的进程。报告的建议就是要求推进这一进程,而不是推迟。

9　科学在决策中的作用

决策者面临的问题是怎样确立并实施一个可接受的亚美利加河洪水风险管理的最佳规划。除了考虑所有的复杂性和细节外,最根本问题是不需修筑大坝而采取其他综合治理措施就可以达到降低洪灾损失的方案被人们接受的目的;或者是在上游新建成一座大坝就可以将风险降至能让人接受的水平。委员会不能回答这个问题,部分原因是比较选择方案的详细技术分析仍处于研究阶段,更重要的还是方案评价不是委员会的事。但即使技术上可行,也应该预先告之公众,而不是作简单的技术方面的回答。科学家及工程师应当提供详细分析及解释,便于领导进行决策,他们应该对其不确定性和风险开诚布公。当然最终决策时,不仅仅要考虑技术因素,还要考虑经济效益及资源合理利用、公众利益、风险可接受水平、土地使用目的等。这些问题上的最终决策取决于公众以及代表着公众利益的政府官员。

附录3

《密西西比河上游和密苏里河下游及支流洪泛区管理经济评价》实施概要

1993年美国中西部洪水在许多方面是史无前例的,比如影响区域和降雨持续时间、某些地方的严重灾情以及国家有关机构的反应等。随之而来的公众反应促使国会授权和拨款给陆军工程师团进行全面而系统的研究,以评估1993年洪泛区的防洪和洪泛区管理。

《密西西比河上游和密苏里河下游及支流洪泛区管理经济评价》1993年11月3日由白宫2423号决议批准,并在国会1994年能源和水资源预算法案上拨款,这个法案被载入《公众法》的第103~126条。

在国会授权和美国陆军工程师团司令部指导下,建立了11个评价目标。

(1)预测资源和工程未来的情况;

(2)评价地方的利益;

(3)描述洪泛区各种资源条件下的产出情况;

(4)描述影响洪泛区资源的主要因素;

(5)对替代方案进行排序;

(6)通过公众评议或对比分析,对替代方案进行评价和选优;

(7)总结现状,提出今后的研究内容;

(8)确定需建的重要防洪设施;

注:本附录摘自《密西西比河上游和密苏里河下游及支流洪泛区管理经济评价》,美国陆军工程师团,1995年6月。

(9)审核密西西比河上游和密苏里河下游联邦政府分摊资金的区别;

(10)对防洪替代方案进行经济评价;

(11)推荐升级防洪系统。

洪泛区管理评价对这些目标进行了研究,其他补充工作根据洪泛区情况分别研究。

被引用得最多的就是《Galloway 报告》。洪泛区管理评审委员会在 1994 年 6 月出版了这个报告。该委员会是为了更好地加强洪泛区管理,避免决策上重大失误而成立的。政府采纳了报告中的建议,一些联邦洪水保险和灾难援助计划中需要变更的地方已经制定了法律,洪泛区管理评价将陆军工程师团管辖的区域也补充到《Galloway 报告》中来。

假定在 1993 年洪水的情况下,实施一系列的政策、规划、工程及非工程措施会产生不同的影响和不同的费用。洪泛区管理评价对此进行了比较,并研究了洪水保险、州和地方洪泛区管理、减轻洪水危机及灾难援助、湿地重建、农业支持政策方面变化等几种情况。工程措施选择方案,包括加高堤防安全宣泄 1993 年洪水到清除全部堤防体系,以及介于两者之间的方案。这些选择方案中包括了极端方案,可行的方案可能位于两个极端之间或为不同因素的组合。初步审查内容主要为水文调查、水力学影响与评估湿地重建方案。

这些影响分析是建立在系统的水力学计算机模拟基础上,利用计算机可以对洪水进行模拟。这种模拟在陆军工程师团率先使用,比洪泛区管理评价用得早,但其预算资金却低于洪泛区管理评价。陆军工程师团的第一个水力模拟方法能对洪泛区蓄洪参数随机变化的影响进行预测,从而使评估工作一举成功。

从 1994 年 2 月开始评估起,陆军工程师团要求任何结论都应该得到收集的资料、水力模拟和评估影响的支持,并要求评估可供选择的洪泛区防洪措施,包括政策变化时,对 1993 年洪泛区减灾的变化同时进行评价。

洪泛区管理评价是史无前例的,因为不仅要与陆军工程师团的5个分区(圣保罗区、罗克艾兰区、圣路易斯区、堪萨斯城和奥马哈区)、3个分部办公室(北方中心、密西西比河下游河谷和密苏里河)和陆军工程师团司令部合作,而且还要与自然资源保护局、联邦应急管理局、美国环境保护局、美国鱼类和野生动物保护局的成员,以及一些州(伊利诺斯州、爱荷华州、堪萨斯州、明尼苏达州、密苏里州、内布拉斯加州和威斯康星州)进行协作。各单位之间互供资料,参与专题讲座会,评审和讨论中期研究成果。不同机构合作完成的中期研究成果比单独一个机构完成的更全面、更深入。1994年6月、1994年11月及1995年4月分别举行了3次相关会议。会上公布了研究计划,1994年4月、1994年8月、1994年9月和1995年1月等几次会议有重大突破,使研究进入了"转折阶段"。通过种种努力,可以交流实施计划、研究资料和进展,并反馈信息。

评估协作时,信息反馈表明需要对洪泛区使用进行对比研究,要扩大洪泛区管理的内涵,解决洪泛区管理中存在防洪和经济发展不协调的问题。很明显,防洪和加高堤防是保护人们自信的表现。很多人相信50年或以前修筑的堤防在当时水文条件下是足够的,但由于流量增加或河道、堤防的自然变化,洪水风险也增加了。反对方则认为是由于洪泛区不合理使用导致了巨额的洪灾损失,如1993年洪水对洪泛区自然环境造成不利影响。这个评估并没有解决所有这些问题或提出一个整体的最优方案。然而它提出了判断各种相关因素潜在影响的新途径。

当评价评估、调查结果和结论时,应注意以下4点:

(1)将1993年洪水作为一个基准来评估政策和工程措施替代方案的影响。这次洪水人们仍记忆犹新,对特大洪水易受灾地区提供了有益的参考。另外,1993年洪水的分布范围广泛,为评估不同地区自20年一遇到500多年一遇洪水标准提供了机会,这次洪水的分布区域之广、持续时间之长可以说是史无前例的。洪泛区管理评价并没有在计算或推荐工程中树立样板,因为它必须以洪水频率分析、循环周期和效益、费用累计评估为基础,而这些则超出了洪泛区管理评价的研究范围。

(2)报告的调查结果和结论是参与洪泛区管理评价工作的5个分区和3个分支机构共同努力的结果。

(3)不同替代方案的水力模拟得出的结论,代表了与整体评估相对应的方案的近似值。虽然进一步分析时能在某种程度上修正,但报告中显示的整体趋势应保持不变。用于评估的非稳态模拟得出了水位与流量之间的关系,但没有找出流量与频率之间的关系。密西西比河上游的流量—频率评估还是基于1970年联邦政府的一份合作协议,当前尚没有计划根据1993年洪水或最近洪水对密西西比河或密苏里河洪水流量—频率关系进行修订,包括陆军工程师团水文学者在内的一些人士却认为需要修订这些评价方法。

(4)几乎已收集到了所有可得到的资料,比如1993年洪水的经济损失。许多资料以县为单位累计,没有分解到各洪泛区,一般认为数据越详尽越可靠,但对于初步的系统评价来看,这些资料已经足够了。

重要的调查结果和结论

1.实施防洪工程措施,防止重大损失

陆军工程师团的水库运行良好,可降低密西西比河上游及密苏里河下游干流许多地方的洪水水位1 m多。工程防护措施(城市堤防和防洪墙)按要求保护着大城市中心地区。国会总核算办公室认为"陆军工程师团修建的许多堤防正按设计运行,防止了重大损失"(1995年2月28日报告第11页)。

2.1993年,大约80%的区域农作物损失是由于土地过度渍水造成的,与洪水漫堤无关

1993年整个洪灾损失中至少50%属农业方面,而农作物损失中大约80%是由于土地过度渍水浸泡或其他原因造成的,与洪水漫堤无关。这些损失不会受洪泛区管理政策变化而改变的。防止此类损失的最佳方法是制订合理的农作物损失保险计划,农作物保险改革法案(Title I of PL 103 – 54)于1994年颁布。

3.没有足够的或完全没有防洪设施,城市洪泛区洪灾损失问题仍然是主要问题

毗邻密西西比河上游和密苏里河下游及一些主要支流的120个县是评估的重点,城市损失实际上超过了农业损失。洪水漫堤及与降雨径流和城市排水有关的问题在其他许多地方仍继续出现,1993年的洪水也证实了这一点。

4.采取单一措施难以取得好效果

从水力学观点看,只采取一种措施可能出现不利的结果,评价应贯穿于整个体系中。许多影响因素,如洪泛区内的洪峰、流量、行洪面积和水深等都会对整个体系产生影响,因此从整体上对一个方案进行减灾效果评价时,必须考虑诸多因素的影响。

5.必须对水力影响进行系统评估

从非稳态水力模拟得出的结论来看,系统评估水力影响的重要性显而易见,洪峰历时和洪泛区"糙率"的变化可能对蓄洪量产生非常大的影响。

6.如果加高加固所有农用堤防,那么城市防洪风险会更高

如果在1993年洪水中,密西西比河上游和中游的农用堤防加高加固至可以防止漫堤,那么中游洪水位将平均升高1.83 m。同样在密苏里河上加高堤防防止洪水漫堤,那么洪水水位平均增高0.91~1.22 m,最高的是内布拉斯加州的鲁洛,为2.19 m,及密苏里州的韦佛利,为2.10 m。

7.清除农用堤防后洪水位的变化主要取决于以后洪泛区的用途

假设清除农用堤防,接着在洪泛区耕种,水力模拟表明,1993年圣路易斯地区密西西比河(中游)水位将平均降低0.61~1.22 m。如果该地区恢复到自然的森林覆盖状况,水力模拟可知有的地方洪水位会降低(高达0.85 m),但有些地方会出现水位升高0.40 m的现象。在堪萨斯城(下游),水力模拟表明洪泛区农业用地没有建堤防时,洪水位会有-0.91~0.30 m的变化,而森林覆盖时则有-0.91~1.37 m变化。

8.洪泛区湿地重建对1993年大洪水影响不大。如果正确理解和接受洪水风险,洪泛区可以用于农业

将洪泛区农业用地转变为自然状态并不能降低某些地方洪水位,但可以最低限度地降低1993年中西部洪水的损失补偿。如果洪水残余损失能被农作物保险计划及公众理解和接受,且兼有必要的自然洪泛区功能时,洪泛区可以用于农业生产。当前预测洪泛区功能的理论表明,很难将洪泛区恢复到自然植被状态,而将流域洪泛区内一系列小块土地串联起来是切实可行和有效的。

9.高地湿地的重建将减轻某些地区洪水灾害并获得其他收益,但是对主河道洪水影响甚微

高地湿地的流量减少5%和10%时,水力模拟预测密西西比河上、中游水位平均降低0.21 m和0.49 m,密西西比河下游平均降低0.12 m和0.27 m。然而高地本已很湿润,单独实施湿地重建措施并不能使1993年洪水流量减少多少,其重建影响甚微。但为什么湿地重建非常重要呢?有其他原因,比如减少洪水损失中的农业损失,提高水质、减少淤积、增加野生动物栖息地等。

10.州和地方洪泛区区域划分是确定重要设施选址,避免洪灾的一种有效途径

依法划分州和地方洪泛区区域是确定重要设施选址的一种最有效方法。这些设施在洪水暴发时有可能释放有毒的或危险物质污染环境。

11.洪水保险有利于合理分担洪灾损失

洪水保险有利于让在洪泛区投资、建设和居住的人们分担一定的洪灾损失。在1993年洪水中,国家水灾保险计划和联邦农作物保险公司的支出还不到整个洪灾援助金额的一半。

12.强调降低洪水危机措施是正确的

现在应更加重视降低洪水危机措施,尤其是在洪水易发区修筑建筑物时,采取措施有利于减少联邦政府灾害补助和其他费用。

13.虽然洪泛区使用还存在着争议,但也有潜在的共同之处,需要我们继续去发现

在各利益集团之间得到不同程度承认的观点有3点:

(1)农用堤防的重要性;

(2)强调需要采用工程措施和高地湿地重建方案;

(3)密西西比河上游和密苏里河下游管理机构之间需要进一步协调。

14.维持现有政策是搞好洪泛区管理必要的、紧迫的和有效的前提

未来降低洪灾损失的措施并不随政策和计划的修订而改变,主要包括:

(1)维护良好的现有联邦政府和非联邦政府的堤防工程体系;

(2)州和地方宜采用适当的土地使用政策,确保洪泛区不再发展或者不再兴建防洪工程设施(加高堤防、防洪墙等),使潜在的损失最小化。

15.实践证明从依靠灾害援助转变为依靠降低洪水危机和开展洪水保险是正确的

洪泛区管理应从依靠灾害援助转变为依靠降低洪水危机(修防洪墙、加高堤坝和在洪泛区外重新安置)和实施洪水保险。以下几个方面是进一步推进洪泛区管理时应遵循的原则。即避免或降低洪灾损失一般应该优先采用防御洪水措施,辅之以工程和非工程防洪措施。更确切地说,开展公众防洪教育和洪水保险是降低洪水残余损失的基本方法。

(1)了解哪些建筑物容易受洪水侵袭;

(2)更广泛和严格地推行个人、农场主、商业、社区洪水保险(已执行得好);

(3)协调好各种灾害援助之间的关系;

(4)更重视制订降低洪水危机计划并切实执行;

(5)确保社区及个人认识到所处的风险水平,包括居住在堤后或洪泛区下游地区,特别是居住在低于工程洪水标准(SPF)地区的风险水平;

(6)制定更有效的洪泛区管理政策和地区标准,限制洪水易泛区的发展;

(7)扩展洪水易泛区的范围,从而扩大洪水保险规定的100年

一遇防洪标准区域；

(8)采取更多措施进行水土保持，以减弱或减缓降雨径流；

(9)对各种影响与自然周期的分析表明，工程防护措施是最好的解决方法，应继续采用，但要对其相关风险有所认识。

16.必须做好防御更大洪水的准备

1993年洪水已算是特大灾难了，将来有可能发生更大洪水。应该做好防御更大洪水的准备，只有这样，小规模洪水才容易对付。

17.从评估中得到了有价值的资料，诸如水力模拟、地图及资料目录等

水力模拟、数据和观点的收集和整理、洪泛区管理评价输入数据的评估等将有利于加强对洪泛区管理问题的认识。洪泛区管理评价为洪泛区管理决策者提供新的“工具”，如正在使用的密西西比河上游和密苏里河下游非稳态水力模拟、数字化土地利用地图、环境资源目录等。

通过洪泛区管理评价分析可知，我们要进一步加深对洪泛区管理的理解，从而更好地加强管理：

(1)建立堤防和洪泛区其他设施的目录和空间数据库；

(2)洪泛区关键设施的目录和GIS数据库；

(3)更详细的地图和覆盖干流河道的水力模型(非稳态)还没有建立起来，主要支流也如此(包括密西西比河、密苏里河、伊利诺斯河、俄亥俄河和阿肯色河在内的系统模型计划在1996年核算年度末完成)；

(4)建立一个实时、非稳态水力模型和支流降雨汇流预报模型，以预测未来洪水情况；

(5)更新水文和水力方面的资料，包括流量—频率关系和平面及剖面图；

(6)更丰富的高原湿地数据资料和水力模拟可以最大限度地降低洪灾损失；

(7)试验和开发生态反应测试模型，以便与现有的水文及水力模型结合使用；

(8)如果制订系统洪水减灾规划,必须收集某些特殊和容易受灾地区的水位、经济资料等;

(9)保留和更新已研制的环境 GIS 数据库。这个数据库可用于制定洪泛区管理发展战略,也可用于开发自然资源系统管理规划。

如前所说,这种评估局限于仅把一系列的政策、规划和减灾措施与 1993 年中西部大洪水进行比较。为制订更广的洪泛区管理规划,不管是系统框架还是具体细节,都要进行全面的分析。分析应包括所有可能洪水周期、费用和效益累计情况、影响因素(如环境、社会、人员伤亡及文化等因素)。只有这样,才能更好地理解当前洪泛区的利用以及利用的缘由,才能更清楚地认识洪泛区管理替代方案变化的影响。

在评估报告的末行,有一封对报告草稿评注的信说得好:“当人们认为工程措施控制洪水是整个洪泛区管理规划很重要的部分时,本身就有局限性,洪泛区只有综合利用工程和非工程措施,才能取得最佳效果,也只有这样,人们才能充分认识洪泛区固有的风险。”